GULISTAN - O JARDIM DAS ROSAS

Saadi de Shiraz

GULISTAN
O Jardim das Rosas

*versão em português
a partir da tradução do persa de*
Omar Ali-Shah

1ª reimpressão

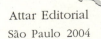

Attar Editorial
São Paulo 2004

Copyright © Omar Ali-Shah, 1966
Copyright da edição brasileira © Attar Editorial, 2000
Título original: *Gulistan, Le Jardin de Roses*

Editor:
Sergio Rizek
Tradução:
Rosângela Tibúrcio, Beatriz Vieira e Sergio Rizek
Projeto gráfico e capa:
Silvana de Barros Panzoldo

Dados Internacionais de Catalogação na Publicação (CIP)
(Câmara Brasileira do Livro, SP, Brasil)

Saadi, de Shiraz
Gulistan ; O jardim das rosas / Saadi de
Shiraz ; tradução de Rosangela Tibúrcio,
Beatriz Vieira e Sergio Rizek, a partir da
tradução do persa de Omar Ali-Shah. — São
Paulo : Attar, 2000

Título original : Gulistan.

1. Literatura persa 2. Saadi, de Shiraz –
Crítica e Interpretação 3. Sufismo – Literatura
I. Título. II. Título: O jardim das rosas.

00-4172   CDD-891.551

Índices para catálogo sistemático:
1. Literatura persa : Período de desenvolvimento
891.551

ISBN 85-85115-14-9

Attar Editorial

rua Madre Mazzarello, 336   05454-040   São Paulo - SP
fone / fax (11) 3021 2199   attar@attar.com.br

para Agha

Sumário

NOTA DO EDITOR 11

PREFÁCIO, de Omar Ali-Shah 13

GULISTAN

INTRODUÇÃO 23

LIVRO I
Do caráter e da conduta dos reis 31

LIVRO II
Da ética dos dervixes 85

LIVRO III
Das virtudes do contentamento 129

LIVRO IV
Das vantagens do silêncio 159

LIVRO V
Do amor e da juventude 167

LIVRO VI
Da fraqueza e da velhice 193

LIVRO VII
Dos efeitos da educação 203

LIVRO VIII
Da conduta da sociedade 231

CONCLUSÃO 271

GLOSSÁRIO 273
ÍNDICE BIOGRÁFICO 276
BIBLIOGRAFIA 280

NOTA DO EDITOR

Apresentamos ao leitor brasileiro a primeira versão integral do *Gulistan – o Jardim das Rosas*, de Saadi, um dos mais importantes clássicos da cultura literária e espiritual do Oriente islâmico. Das dezenas de traduções existentes para os mais diversos idiomas ocidentais, uma única chegou à língua portuguesa: a de Aurélio Buarque de Hollanda, publicada no Brasil em 1944, a partir da versão francesa de Franz Toussaint. Porém, a referida edição não somente suprimiu vários trechos como fez inserções alheias a todos os manuscritos conhecidos da obra. Não se trata, portanto, propriamente de uma tradução, mas antes de uma adaptação, concebida conforme o espírito predominante no orientalismo europeu do século XIX, cujos estudos e traduções certamente refletiam mais os padrões poético-literários e a visão de mundo do tradutor ocidental, no mais das vezes deslumbrado ante o desconhecido e exótico Oriente, do que uma tentativa de real estudo, compreensão e tradução de um universo cultural bastante diverso.

A presente edição baseou-se na versão francesa, traduzida diretamente do persa por Omar Ali-Shah, publicada pela Albin Michel em 1966. Dada a grande distância lingüística que se interpõe entre o

[*11*]

NOTA DO EDITOR

original do século XIII e a língua ocidental contemporânea – e pelo fato já amplamente discutido de que toda tradução por definição é uma nova versão do texto –, a tradução de Omar Ali-Shah oferece-nos a inestimável vantagem de consistir em um texto estabelecido por um bom conhecedor de ambas as línguas e, sobretudo, do contexto simbólico e espiritual que serve de matriz ao *Gulistan* original; por um mestre espiritual que, sem deixar de atentar para as sutilezas da expressão poética, cuida zelosamente da mensagem essencial a ser transmitida.

De nossa parte, buscando maior precisão e adequação à intenção do Autor, cotejamos o texto com outras edições – cuja indicação encontra-se na Bibliografia ao final do livro -, das quais nos valemos para esclarecer determinadas passagens e inserir algumas notas elucidativas.

Esperamos que o leitor aprecie o raro privilégio de ter a obra de um mestre vertida por outro, de adentrar *O Jardim das Rosas* de Saadi e colher as pétalas oferecidas pelas mãos de um mestre jardineiro, nosso contemporâneo, que conhece suas raízes e seu perfume.

Consignamos aqui nossa gratidão a Rosângela Tibúrcio, pelo cuidado e dedicação na tradução do original francês; a Beatriz Vieira, pelo cotejo de textos e inspiradas sugestões; a Silvana de Barros Panzoldo, pela sensibilidade com que concebeu e executou o projeto gráfico; a Marcos Martinho dos Santos, por sua constante e prestimosa assessoria; e ao sheikh Omar Ali-Shah, cuja generosidade, orientação e apoio permitiram este trabalho.

[*12*]

PREFÁCIO

O Sheikh Muslihuddin Saadi Shirazi nasceu em Shiraz, no ano 571 da Hégira (1175/6 d. C.). Era filho de um modesto dignitário da corte de Muzuffar al Din Takla bin Zangi, terceiro Atabeg[1] dos Salgáridas de Fars, que se haviam fixado em Khurassan e, sob o reinado de Abu Bakr bin Saad bin Zangi, patrono de Saadi, tornaram-se tributários do shah de Khwarezm. O jovem Muslihuddin teria tomado seu nome literário do príncipe, embora alguns o julguem derivado do árabe *saad*, que significa "propício".

Alguns contos do *Gulistan* confirmam a tradição segundo a qual Saadi teria sido, desde a juventude, muito atraído pelos prazeres mundanos, ao mesmo tempo em que era profundamente religioso. O *Bustan*, sua outra grande obra, relata as primeiras etapas de sua educação em Bagdá, no colégio Nizamiya, fundado por Nizam ul Mulk. Em Bagdá, bem cedo se encontrou sob a influência dos grandes sufis

---

1. Atabeg é, originalmente, o título dado aos preceptores dos príncipes entre os Seljúcidas que reinaram na Pérsia entre 1148 e 1264 d. C. Com o tempo tornou-se sinônimo de soberano.

[*13*]

PREFÁCIO

Abd al Faraj bin Jauzi e o Sheikh Shahbuddin Suhrawardi, iniciando-se em seguida na escola sufi Naqshbandi. Manteve, além disso, numerosos contatos com o maior sufi da época, o *Qutb* – ou Pilar do Sufismo – Najmuddin Kubra Naqshbandi, morto durante a destruição de Bokhara por Gengis Khan em 1221 d.C.

Em conformidade com um preceito do sufismo, Saadi viajou muito, e a importância dessas viagens é visível na leitura do *Gulistan*. Visitou países tão distantes quanto a China, a Índia, a Abissínia, o Marrocos e a Turquia, o que não era uma empresa fácil numa época em que as viagens eram dispendiosas, perigosas e exaustivas.

Mesmo antes de iniciar a redação do *Gulistan*, no ano 656 da Hégira, já era um poeta famoso. Paralelamente, crescia sua reputação de sufi, ainda que seus ensinamentos públicos tratassem, sobretudo, de certos aspectos da moral e da educação, atraindo rapidamente a atenção de um público não sufi que podia assimilar facilmente suas máximas e contos morais. Muito tempo antes de sua morte, o *Gulistan* e o *Bustan* se haviam tornado verdadeiros manuais de poesia, comportamento e moral. Pessoas de todas as origens sociais, qualquer que fosse seu nível intelectual e cultural, podiam tirar proveito de seus escritos e compreendê-los.

Embora todas as chances de acumular bens se lhe tenham oferecido, Saadi nunca foi um homem rico. Em Fahandar, construiu uma casa para acolher estudantes e peregrinos, graças ao donativo de um ministro de Mughal, Imperador da Pérsia. Apesar de incontestavelmente piedoso, nada tinha de fanático. Era um homem bondoso que compreendia profundamente a humanidade e suas fraquezas.

Sua atração pelo sufismo foi o resultado natural de uma educação marcada pela devoção, pela filosofia e pelos laços íntimos com os

[*14*]

PREFÁCIO

mais influentes sheikhs sufis. Para alguém que desejasse atingir percepções mais profundas, para um buscador da Verdade, o sufismo era, manifestamente, o caminho mais natural. Para o devoto, esta busca é fundada em princípios bem definidos que, uma vez aplicados, permitem penetrar o véu das percepções sensoriais que se erguem entre o homem e Deus.[2]

O estado de conhecimento, objetivo do sufismo, é alcançado seguindo-se rigorosamente o caminho sob a direção de um sheikh. Enquanto o sufi segue este caminho de recitação e devoção absoluta a Deus, abstinência e rejeição dos bens deste mundo, vive experiências místicas que descreve a seu sheikh, capaz de avaliar seu grau de evolução espiritual e guiar seu desenvolvimento posterior.

O sufi, para realizar tais experiências, não precisa tornar-se um eremita. Na verdade, o devoto deve seguir o preceito maior do sufismo de "estar no mundo sem ser do mundo", submetendo-se continuamente a um exame de si e de seus atos. Ibn Khaldun, em seu *Muqaddimah*, refere-se a isso nestes termos: "O noviço deve observar-se em todas as suas ações e examinar seu significado profundo, pois os resultados originam-se obrigatoriamente nos atos, e as insuficiências nos resultados provêm, em conseqüência, de erros nas ações" (Ibn Khaldun, *Muqaddimah*, tradução de Rosenthal, 1958).

Desde as origens do Islam, os sufis foram alvo, em certos períodos, de suspeitas e animosidade por parte dos não-sufis, sofrendo todo tipo de acusação, desde incorrer em idéias do neoplatonismo, à pura heresia. No entanto, tão grande é a força de suas idéias e tão profundas

---

2. Ver a respeito: Titus Burckhardt, *Introdução às doutrinas esotéricas do Islam* (Lyon, Derain, 1955); Muhyi-a-din Ibn'Arabi, *A Sabedoria dos Profetas* (Paris, Albin Michel, 1955), e Abd al-Karim al-Jili, *Do homem universal* (Lyon, Derain, 1952).

PREFÁCIO

suas raízes que sempre conseguiram ressurgir, ainda com mais vigor. Muito se escreveu a respeito da etimologia da palavra "sufi". Uma tese muito comum refere-se à palavra "suf", que quer dizer lã, pois os sufis usavam um manto de lã. Esta afirmação é, porém, inaceitável, pois os sufis não eram os únicos a usar um manto de lã. Além do mais, teriam sido nomeados *Mossawiffin*, e não *Mutassawifin* – palavra que corresponde à sua designação exata. Os sufis preferem a tese de que seu nome provém da palavra "saff", isto é "fila" ou "posição". Em uma mesquita, os fiéis dispõem-se em fileiras diante do *mihrab*, ou recinto da prece. Os sufis dizem que atingiram o primeiro "saff" entre os fiéis diante do Trono de Deus, em virtude de se terem purificado do contágio do mundo (cf. Hujwiri, *Kashf ul Mahjub*).

A alegoria contida no *Gulistan* destina-se somente aos sufis, pois eles não podem confiar seus segredos àqueles que não estão preparados para recebê-los ou interpretá-los corretamente. Para transmitir tais segredos aos iniciados, os sufis elaboraram uma terminologia. Quando uma palavra não permite a transmissão dessas idéias, utilizam fórmulas especiais ou alegorias.

Atingindo a união mística, o sufi penetra um outro universo, projetando a alma (*nafs*) para além da zona de poluição da mundanidade. O espírito e os poderes psíquicos alcançam, então, um estágio de desenvolvimento onde podem compreender efetivamente o que é a Verdade e perceber as realidades da existência.

A massa complexa da literatura persa medieval contém um número considerável de obras sufis que influenciaram profundamente a cultura e a teologia do Oriente Médio. Autores como Saadi, Jami e Rumi foram fonte de inspiração para pensadores europeus como Domi, cuja obra *Gesta Romanorum* – que, por sua vez, serviu de base à obra de Thomas North, *A filosofia moral de Domi* – inspirava-se em

[16]

PREFÁCIO

Anwar i Suhail.[3] O *Gulistan*, de Saadi, bem como outras obras persas, renovou e estimulou a literatura alemã do século XVI; o conto de Grimmelhausen, *Joseph*, por exemplo, é claramente inspirado no conto persa *Yussuf e Zulaika*.[4]

A influência persa na literatura européia fez-se sentir muito depois da introdução do pensamento sufi, contemporânea das invasões árabes na Europa, e que, algumas vezes, as precedeu. É reconhecido que o *Squires Tale* de Chaucer e os *Ditos e Adágios dos Filósofos* – o primeiro livro impresso na Inglaterra – têm suas fontes no pensamento árabe sufi. Alguns poetas ocidentais chegaram mesmo a copiar a metrificação persa – por exemplo Platen. Também Goethe foi profundamente influenciado pelos escritos de Hafiz. E o professor Asin Palacios observa que o caráter tão particular da descrição que Dante faz do Inferno, do Paraíso e da Visão beatífica é a tal ponto próxima àquela de Ibn Arabi, que dificilmente se poderia tratar de coincidência fortuita.[5] Von Gruenbaum, em sua descrição da civilização muçulmana, afirma que Averróis (Abu al-Walid ibn Ruchd) teria inspirado o *Robinson Crusoé* a Defoe. Todavia, as pesquisas relativas à influência do pensamento sufi na mística, na literatura e na filosofia do Ocidente não constituem o tema deste livro.

---

3. Poeta panegirista persa, falecido em 1200 d. C. (577 d. H.), protegido do sultão Sanjar, da dinastia seljúcida

4. Texto de Jami (1414-1492), versando sobre o grande amor devotado a Yussuf – o José bíblico – por Zulaika, durante toda sua vida. A história é contada do ponto de vista da personagem feminina.

5. Ver *La escatologia musulmana en la Divina Comedia*, de Miguel Asín Palacios, Madrid, 1919. Quanto a influência da literatura persa na obra de Goethe, ver "Divã Ocidental-Oriental", in *Poemas*. Edição bilíngüe, trad. Paulo Quintela, Ed. Centelha, Coimbra, 1986.

PREFÁCIO

O *Gulistan*, ou *O Jardim das Rosas*, de Saadi, é uma coletânea em verso e prosa, impregnada dos elementos mais profundos da filosofia sufi. Saadi pertencia à confraria sufi Naqshbandi. Atingiu um nível elevado nessa Ordem e, sobretudo, foi reverenciado como mestre e pregador da filosofia mística da Rosa. Como é o caso de muitos escritos desta natureza, é possível ler o livro de Saadi como simples entretenimento ou, ao contrário, aprofundando-se no sentido alegórico de cada dístico, de cada palavra, uma vez que Saadi, mestre sufi, não as escolhia ao acaso e tampouco adequava seus versos a esquemas arbitrários. Para o pensamento sufi, tudo o que existe, animado ou não, possui uma essência, um caráter próprio, ao mesmo tempo aparente e oculto, mas cuja descoberta e interpretação são proporcionais ao grau do despertar espiritual do leitor. Isto posto, será possível compreender o quanto é vital, numa tradução, recuperar o espírito da obra de modo a conservar a essência e mantê-la aberta às duas interpretações.

Compreender Saadi é compreender o sufismo – embora esta afirmação seja exageradamente simplificada, dado que, apesar de o *Gulistan* ser lido em todo lugar em que se fala persa, milhares de leitores não chegam a apreender o sentido profundo da obra, a menos que seu estágio particular de desenvolvimento o permita. Cada leitura do texto aumenta nossa compreensão dos preceitos fundamentais do Amor Sufi, que desempenhou papel fundamental em todos os domínios da civilização oriental.

No passado, tradutores e estudiosos criticaram o caráter aparentemente sensual da poesia e da prosa sufis. Só alguns souberam interpretar corretamente o significado do Amor que se depreende do pensamento sufi, isto é, o amor tal como o sente o indivíduo que se dedica a cultivar este Conhecimento que o conduzirá à União (*Wasl*) com o Bem-Amado (Deus). R. A. Vaughan, em seu *Horas com os*

[*18*]

PREFÁCIO

místicos, sintetiza bem essa idéia: "Jamais uma linguagem religiosa foi mais florida, mais voluptuosa: onde o vinho representa a devoção, a taberna um oratório, os beijos e abraços os êxtases da piedade, a devassidão e a embriaguez o ardor religioso e a libertação ante os pensamentos mundanos". Uma vez que o próprio treinamento dos sufis suscita profunda repugnância e recusa ao que é mundano e carnal, não é possível confundir suas alegorias com outra coisa além das efusões de almas que aspiram a Deus.

É verdade que, algumas vezes, os sufis foram acusados de irreligiosos ou mesmo heréticos porque negligenciam a prática de várias observâncias exteriores do Islam, e porque suas manifestações podem parecer heréticas quando estão em estado de exaltação mística. Por outro lado, ninguém no seio do Islam é mais rigoroso no que se refere às ações e alimentos proibidos indicados no *Corão* ou nos *Hadith*[6]. Assim diz o sheikh sufi Burhanuddin Papazi: "Pode ser que não me vejam na mesquita cumprindo minhas devoções. No entanto, meu coração reza permanentemente na grande mesquita de Meca". Não almejar mais alto, submeter-se à servidão do vinho e da carne, impediria a União com o Criador, que é a meta do sufi. A propósito do *Awarif al Maarif*, de Suhrawardi, o coronel H.W. Clarke escreveu: "Os sheikhs e poetas sufis dão prova do amor mais profundo, ainda que platônico, por indivíduos do mesmo sexo, notáveis por sua beleza ou por seus talentos; afirmam que é o Criador que adoram quando

---

6. *Hadith* significa propriamente 'tradição'; o termo designa as sentenças do Profeta Muhammed transmitidas à parte do *Corão* por uma cadeia de intermediários conhecidos. Há dois tipos de *hadith*: o *hadith qudsi*, 'sentença sagrada', revelação direta na qual Deus fala na primeira pessoa pela boca do Profeta, e o *hadith nabawi*, 'sentença profética', que designa uma revelação indireta na qual o Profeta fala por si mesmo.

[*19*]

PREFÁCIO

apreciam Sua admirável obra (corporal ou intelectual) e vangloriam-se de que seu amor, ao contrário daquele que se sente por indivíduos do sexo oposto, não está submetido à sensualidade da carne e é, portanto, mais puro".

Esta tradução baseia-se numa versão manuscrita do *Gulistan*, datada de Tabriz 1380 d.C., por Mirza Muhammed Qasim Sarmouni, pertencente à coleção privada de Sua Eminência o Sheikh ul Mashaikh, a quem o tradutor oferece toda sua gratidão.

Omar Ali Shah

GULISTAN
O Jardim das Rosas

INTRODUÇÃO

Glória a Deus, que Ele seja louvado e glorificado! Adorá-Lo é aproximar-se d'Ele, e render-Lhe graças é aumentar nossas bênçãos. Cada respiração contém duas bênçãos: a vida na inspiração e a rejeição do ar viciado e inútil na expiração. Agradece a Deus, pois, duas vezes a cada respiração.

> Quem pode subtrair-se à obrigação
> De venerar Deus em palavras e atos?
> Como está dito no Corão:
> "Dai graças, ó família de David.
> E pouquíssimos de meus servidores são gratos".[7]
> Que o servidor confesse suas faltas
> E peça perdão junto ao Trono de Deus.
> De outro modo, não cumpre com toda humildade
> Seu dever para com Ele.

---

7. *Corão*, XXXIV, 13. "Família de David! Dá graças! Poucos são os meus servidores agradecidos!"

GULISTAN / O JARDIM DAS ROSAS, DE SAADI DE SHIRAZ

Sua misericórdia estende-se a tudo o que existe e Sua mesa está servida em todos os lugares. Ele não revela os pecados de Seus servidores e não pune os pecadores privando-os da subsistência.

Deus de Misericórdia, Tu que dás

O pão de cada dia

Ao guebro[8] e ao cristão,

Como poderias privar Teus amigos,

Se contemplas com bondade

Até Teus inimigos?

A Seu comando, o zéfiro desenrola o tapete de esmeralda; as nuvens da primavera são as nutrizes das ervas verdes que dormem no berço da terra parda; Ele cobre as árvores com um manto de folhas verdes, semelhante a uma veste de honra e, na primavera, coroa os ramos com guirlandas de flores. Faz que o suco da uva supere o sabor do favo do mel. Transforma a modesta semente da tâmara na alta tamareira que projeta uma sombra refrescante.

Nuvens, ventos, lua, sol e céu

Trabalham a fim de que o homem

Receba a subsistência que lhe cabe.

Não esqueças da generosidade de Deus para contigo.

Os elementos e os planetas a Ele obedecem,

Trabalham e evoluem para o teu bem.

Por tua vez, também deves obedecer.

---

8. Assim eram chamados os zoroastristas sob domínio islâmico; eram adeptos da tradição fundada por Zoroastro ou Zaratustra (séc. VII a. C.), reformador do masdeísmo, do qual conservou a concepção dualística do Universo. Derrotados pelos árabes muçulmanos no séc. VII d. C., passaram a ser chamados de "adoradores do fogo".

INTRODUÇÃO

Há uma tradição relativa ao Profeta Muhammad, o louvado, o mediador, o obedecido, o glorioso, pleno de graça, o nobre, o sorridente, marcado como o selo dos profetas:

> Não te inquietes pelo muro
> Formado por teus discípulos,
> Se possuem um alicerce como tu.
> Com um piloto como Noé,
> Quem temeria as tempestades do oceano?
> Sua grandeza era sua perfeição.
> Quando ele aparecia,
> Dissipava-se a noite da descrença.
> Excelentes eram suas qualidades.
> Abençoado seja, bem como sua posteridade!

Muhammad dizia que o pecador aflito que implora a Deus será ignorado. Se suplica de novo, Deus desvia o olhar. Mas na terceira vez que apela a Deus, o Criador diz: "Ouvi tua prece e ela será atendida, pois não há ninguém além de Mim, e envergonho-Me de ignorá-la".

> Vede a misericórdia e a bondade de Deus;
> Seu servidor peca e Ele se envergonha!

Seus adoradores lamentam-se porque não O adoraram como deveriam; e os que estão mais próximos d'Ele na adoração lamentam-se porque não O conheceram como Ele deve ser conhecido.

> Se alguém me pedisse para descrevê-Lo,
> Eu, que perdi meu coração,
> O que poderia dizer d'Aquele que o arrebatou?
> Os amantes são as vítimas do Amado.

GULISTAN / O JARDIM DAS ROSAS, DE SAADI DE SHIRAZ

Quando o coração está perdido,
Nenhum som escapa de seus lábios.

Um sufi estava mergulhado em profunda meditação sobre o Ser Divino. Quando emergiu de seu estado, seus companheiros perguntaram que presentes miraculosos ele lhes trouxera do jardim da contemplação no qual estivera. Ele respondeu: "Quis encher meu manto de rosas para vós, mas quando me vi diante da roseira, seu perfume inebriou-me a tal ponto que não pude fazer sequer um gesto".

Eu disse: "Quis colher as rosas do jardim,
Mas o perfume da roseira inebriou-me.
Ó rouxinol, aprende a devoção da mariposa da noite:
Sacrificou a vida à chama, sem um lamento.
Estes simuladores não sabem o que procuram,
Pois aquele que atinge o conhecimento d'Ele
Não volta ao mundo para contar".
Ó Tu, que transcendes todas as coisas, conjecturas e suposições!
Lemos e ouvimos tudo o que existe no mundo
E no entanto nossas vidas chegam ao fim
Sem que tenhamos atingido o começo do Conhecimento de Ti!

A fama de Saadi, sua estima e o valor conferido à sua poesia não se devem a seus méritos, mas antes ao favor e às atenções de Abu Bakr bin Saad bin Zangi,[9] o Rei e Defensor dos fiéis, que deu

---

9. Abu Bakr bin Saad bin Zangi: o sexto rei da dinastia dos Atabeg, a quem Saadi dedicou seu *Gulistan*. Reinou trinta e cinco anos, até falecer em 1259 d. C.

[26]

INTRODUÇÃO

provas de fervor e verdadeira devoção de discípulo para com a verdade e o serviço de seu povo.

Desde que te inclinaste sobre mim,
Dispensando-me teu favor e estima,
Meus modestos poemas ultrapassaram
O raio e a influência do sol.
Estivesse eu cheio de vícios,
Juro que se tornariam virtudes,
Por menos que o sultão o quisesse!
Um dia, caí sobre um punhado de argila perfumada,[10]
Vinda de meu Amado.
Inebriado pelo perfume, perguntei:
"És almíscar ou âmbar gris?"
A argila respondeu:
"Não passo de um mero punhado de argila,
Mas associei-me a uma rosa.
A virtude de minha companheira
Exerceu sobre mim sua influência,
Embora eu permaneça
A mesma argila que sempre fui".

Uma noite, chorava eu amargamente minha vida desperdiçada, e decidi, enfim, renunciar aos prazeres absurdos e ao tempo perdido. Ficar sentado a um canto, surdo e mudo, vale mais que ser escravo de uma língua indomável. Veio um amigo e tentou levar-me aos prazeres da cidade, mas recusei. Disse-me ele, então:

---

10. Na antiga Pérsia, bolas de argila perfumada eram usadas para o banho como sabonete.

[27]

GULISTAN / O JARDIM DAS ROSAS, DE SAADI DE SHIRAZ

"Enquanto ainda possuis

O poder da palavra,

Utiliza-o no regozijo e na alegria!

Amanhã, quando vier o anjo da morte,

Não terás outra escolha senão o silêncio".

Um servo informou-o de que eu desejava dedicar minha vida à contemplação e aos atos meritórios, e aconselhou-o a fazer o mesmo, mas ele replicou:

"O que é a língua de um sábio,

Senão a chave do acesso a tesouros inefáveis?

Se a porta não se abre,

Como saber realmente se é sábio ou impostor?

O silêncio, dizem, é prova de nobreza,

Mas para o bem comum deve ser rompido.

É um erro permanecer quieto

Quando é oportuno falar.

E falar é um erro, quando é o momento de calar".

Como era um excelente amigo, rompi o silêncio e lhe disse:

"Quando estiveres em batalha,

Luta na certeza do sucesso,

Ou ao menos, em caso de derrota,

Na certeza de poderes fugir".

Mais tarde, fomos passear nos jardins. Ele colhia flores e eu lhe disse: "Não há permanência nas flores; o que não dura não merece devoção". Ele perguntou: "O que devo fazer?" Respondi: "Vou compor um livro, *O Jardim das Rosas*, que não perecerá".

[28]

INTRODUÇÃO

Leva uma rosa do jardim,
Ela durará alguns dias.
Leva uma pétala do meu *Jardim das Rosas*,
Ela durará a Eternidade.

Assim que pronunciei tais palavras, jogou as flores que acabara de colher e prometeu seguir meu conselho.

Meu modesto trabalho não poderia ser apresentado antes que o sultão o aprovasse. Humilde sufi, tentei cumprir minhas obrigações, mostrando-me reconhecido para com os grandes por seus favores, e orando, sem ostentação, para os bons e para os maus. Mantive-me afastado da Corte do Rei e desses homens de alta classe e vasta cultura, envergonhado de meus medíocres talentos.

Se ergues a cabeça pretensiosamente,
És assaltado por todos os lados.
Mas Saadi é um homem simples
E está livre das inquietações do mundo.
Ninguém declara guerra a um homem assim.
O pensamento vem, depois a palavra.
Primeiro o alicerce,
Depois a muralha.
Sou um fabricante de flores,
Mas não estas deste jardim.
Talvez eu seja um homem belo,
Mas no país de Canaã, ao lado de José[11]
Eu seria feio.

---

11. José do Egito, o personagem bíblico, filho de Jacó, é sempre citado na poesia persa como exemplo de beleza.

Nos limites de meus pobres talentos, tentei citar temas dignos de interesse e de grande importância, inspirando-me em minha experiência e exemplos vividos. Que meus motivos sejam aceitáveis!

> Minhas palavras, pela graça de Deus,
> Permanecerão ainda após ter retornado à terra.
> Deixo um testemunho para além de mim,
> Pois não há permanência na vida.
> Guardo a esperança de que, um dia, um homem piedoso,
> Tomado de compaixão,
> Abençoará o trabalho dos sufis.
> Aos seiscentos e cinqüenta e seis anos da Hégira,
> Fui contemplado com a feliz tarefa de compor versos.
> Meu objetivo foi aconselhar.
> Assim o fiz, e agora,
> Confiando meus negócios a Deus,
> Eu passo.

LIVRO I

Do caráter e da conduta dos reis

CONTO I

Conta-se que um rei ordenou a execução de um prisioneiro. Em seu infortúnio, o infeliz pôs-se a insultar o soberano com as palavras mais vulgares. Aquele cuja vida está por um fio não esconde nada que traz no coração.

O homem desesperado não sabe frear a língua.
É como um gato que,
Acuado por cães, salta sobre eles.
No momento crítico, a fuga torna-se impossível,
E a mão nua segura a espada
Em seu gume afiado.

O rei quis saber o que ele dizia. Um dos ministros, bondoso por natureza, respondeu-lhe: "Meu senhor, este homem diz que 'os que reprimem a cólera e concedem o perdão aos homens, os que fazem o bem, são amados por Allah'.[12] É um versículo do Santo Corão". Tomado de piedade, o rei concedeu o perdão ao prisioneiro. Mas outro ministro, de caráter totalmente diverso, retorquiu: "Não é con-

---

12. *Corão*, III, 134.

[*31*]

GULISTAN / O JARDIM DAS ROSAS, DE SAADI DE SHIRAZ

veniente aos de nossa classe exprimir algo que não seja a verdade em presença dos reis. O homem insultou vossa majestade".

A essas palavras, a face do rei ensombreceu e ele disse: "Para mim, esta mentira era preferível à verdade que acabas de enunciar, pois era bem intencionada, enquanto tua verdade é maldosa. O sábio não disse que uma mentira bem intencionada vale mais que a verdade portadora de infortúnio?"

> Alguém que aconselha o rei em seus atos,
> Faz o mal, se lhe recomenda
> Outra coisa além do bem.
> Estava inscrito na abóbada de Feridun:[13]
> "O mundo, meu irmão, não pertence a ninguém,
> Ata o coração ao Criador!
> Não confies nem contes com as promessas do mundo,
> Pois muitos que foram criados em meio a elas pereceram.
> Quando chegar para a alma pura o tempo de ir-se embora,
> Que importa se parte de um trono ou da terra nua?"

CONTO 2

Um dos reis do Khurassan vira, em sonho, Mahmud Sabuktagin,[14] cem anos após sua morte. O corpo era pó, mas os olhos, ainda em

---

13. Sétimo rei da primeira dinastia da Pérsia pré-islâmica que derrotou o tirano usurpador Zahak e aprisionou-o nas entranhas da montanha Damavend; cf. *Shahnamah*, "O Livro dos Reis", célebre narrativa histórica épica persa, de Firdawsi.

14. Mahmud Sabuktagin governou de 977 a 1010 d.C.; durante seu reinado, conquistou um vasto território, incluindo grande parte do Hindustão até a cidade de Delhi, na Índia.

[32]

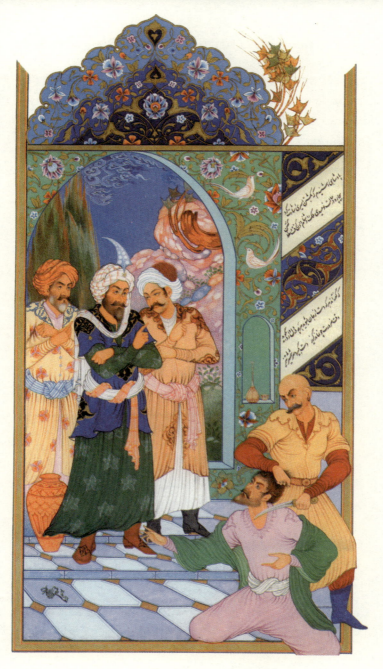

"Aquele cuja vida está por um fio
não esconde nada que traz no coração"

GULISTAN / O JARDIM DAS ROSAS, DE SAADI DE SHIRAZ

órbita, mexiam e olhavam ao redor. Nenhum dos sábios da corte foi capaz de explicar o significado do sonho; porém, um sufi que por ali passava comentou: "Ele sobrevive ainda e sempre, pois seu reino passou para outras mãos".

> Muitos foram os homens célebres
> Depositados sob a terra para o último repouso.
> Assim, nada mais resta de sua grandeza à superfície.
> O corpo, há muito tempo confiado à argila,
> Consumiu-se e tornou-se argila também.
> No entanto, o nome virtuoso de Naushirwan[15] ainda vive,
> Mesmo passados tantos anos.
> Faz o bem, meu amigo,
> Pensa que a existência é uma bênção,
> Até o dia em que todos vestirão luto,
> Porque não mais existirás.

CONTO 3

Ouvi falar de um filho de rei. Era pequeno e feio, ao passo que seus irmãos eram altos e belos. O pai via-o com desgosto e mesmo com desprezo. Ressentido, o filho disse ao pai: "Um pequeno homem inteligente vale mais que um grande imbecil!"

> O que é grande no tamanho,
> Nem sempre é grande no valor.

---

15. Rei sassânida que governou a Pérsia pré-islâmica, à época do nascimento do Profeta Muhammad (570 d.C.). Foi também conhecido como Cosroes I, originalmente um nome próprio que, como 'César' e 'Shah', passou a ser usado como título para designar reis e imperadores.

LIVRO I - DO CARÁTER E DA CONDUTA DOS REIS

O carneiro é comestível
E o elefante não passa de carcaça.
Ouviste falar do sábio magro
Que dizia ao gordo bobo da corte:
"Mesmo que o garanhão árabe seja frágil,
Vale bem uma estrebaria cheia de asnos".

O sultão achou divertido, os cortesãos aprovaram, mas os outros filhos ficaram incomodados.

Enquanto um homem não se faz notar,
Seus defeitos e méritos permanecem desconhecidos.
Não penses que todo bosque contêm apenas árvores jovens.
Pode ali estar escondido um leopardo.

Algum tempo depois, o reino foi atacado por um inimigo poderoso. Quando os exércitos se confrontaram no campo de batalha, o primeiro homem a saltar à frente das tropas foi o filho aleijão do rei, dizendo:

"No dia da batalha,
Não me vereis dar as costas ao inimigo.
Se, em meio ao sangue e à poeira,
Perceberdes uma cabeça,
Estejais certo que será a minha.
Quem vai ao combate arrisca a própria vida,
Mas aquele que abandona o campo
Derrama o sangue de suas tropas!"

Assim dizendo, precipitou-se e despedaçou muitos inimigos. Depois, voltando os olhos para seu pai, beijou-lhe a mão e disse:

[35]

GULISTAN / O JARDIM DAS ROSAS, DE SAADI DE SHIRAZ

"Oh, como tenho desejado que um homem de tua posição
Tivesse a humildade de descobrir
A virtude que se oculta na deformidade que sou!
O cavalo magro é útil no dia da batalha,
E não o boi gordo!"

Seja como for, eram muitos os inimigos. Em altos brados, uma
parte das forças reais reclamava a ordem de retirada. O filho pôs-se
a bater o tambor e dirigiu-se às tropas desencorajadas: "Atacai e
dizimai o inimigo, ou vesti-vos de mulheres!" A essas palavras, os
desertores juntaram-se a ele e a derrota transformou-se em vitória. O
rei reconheceu o valor de seu filho e nomeou-o herdeiro do trono.

Os irmãos do príncipe arderam de inveja e quiseram envenenar sua
comida, mas a irmã ouviu rumores do intento. No instante em que ele ia
comer, ela bateu em sua janela para preveni-lo. O príncipe compreendeu
o aviso e, empurrando o prato, disse: "Seria absurdo morrer aquele que
tem o mérito, e subirem ao trono aqueles a quem falta a virtude!"

Os homens não caminham
À sombra maléfica da coruja,
Mesmo se o feliz Simorg[16] desapareceu.

O príncipe contou ao pai o ocorrido. Furioso, o rei condenou
os irmãos invejosos a um longo exílio. Assim, o ódio foi extinto. Dez
dervixes podem dormir sob a mesma coberta, mas dois reis não
encontram espaço para viver num mesmo reino.

---

16. Pássaro mítico da cultura persa, celebrizado em várias obras literárias, em especial em *A Linguagem dos Pássaros*, de Attar; assim como o Grifo, ou *Huma*, e a Fênix, símbolos de nobre realeza, acredita-se que a pessoa sobre quem sua sombra recai é destinada a ocupar um trono.

LIVRO I - DO CARÁTER E DA CONDUTA DOS REIS

Um homem santo come a metade de sua refeição
E dá a outra metade aos dervixes.
Um rei possui um reino,
Mas conspira sempre para dominar a terra inteira.

CONTO 4

Um bando de ladrões árabes estava instalado numa fortaleza na montanha. Saqueavam as caravanas, aterrorizavam o povo do país e frustravam todas as tentativas das tropas do sultão em expulsá-los de seu covil. Este, praticamente inexpugnável, era sua força principal.

Os governantes locais reuniram-se a fim de encontrar um meio de enfrentar a ameaça e dizimar os ladrões, antes que estes se tornassem poderosos demais para serem desafiados.

Uma árvore que acabou de criar raízes
Pode ser arrancada com a força de um único homem,
Mas depois de algum tempo
Resistirá até ao guindaste.
É possível represar um riacho na fonte,
Com uma enxada.
Mas quando seu leito se alarga
E as águas crescem
É impossível atravessá-lo,
Mesmo nas costas de um elefante.

Os governantes decidiram enviar alguém para espionar os ladrões e indicar o momento em que abandonariam seu refúgio para lançar-se ao ataque. Então, poriam alguns homens bem treinados de tocaia numa fenda da montanha, perto do covil. Na ausência dos

GULISTAN / O JARDIM DAS ROSAS, DE SAADI DE SHIRAZ

ladrões, a emboscada foi armada. À noite o bando voltou cansado da viagem e carregado do butim. Despreocupados, negligenciaram a partilha dos despojos. Após o turno de guarda, quando o disco solar foi engolido pelas trevas, como Jonas pela baleia, o sono foi o primeiro inimigo a abater-se sobre eles. Os guerreiros de tocaia saltaram então sobre os bandidos e, tendo amarrado suas mãos, levaram-nos à presença do rei.

O rei ordenou que fossem mortos. Entre eles, porém, havia um menino, e um dos ministros intercedeu em seu favor: "Este jovem ainda não provou os frutos da vida e não pôde gozar o melhor da juventude. Tenho fé na generosidade de vossa majestade, que lhe concederá o perdão, confiando-o aos meus cuidados". O rei franziu as sobrancelhas, pois tais palavras não estavam de acordo com seu julgamento, e respondeu: "As boas influências não têm qualquer efeito sobre uma hereditariedade ruim; a educação nada pode oferecer de bom a uma natureza viciada. A primeira coisa a fazer é destruir esta corja, arrancar as raízes malsãs, pois apagar o fogo deixando as cinzas quentes ou matar uma víbora poupando seus filhotes não é um procedimento sábio".

> Se as nuvens não deixassem cair
> Suas águas vivificantes,
> Não comerias os brotos do salgueiro.
> Não te interesses por aqueles
> Que têm vis antecedentes.
> Não se pode extrair açúcar de um bambu.

O ministro concordou, a contragosto. Exaltando a sabedoria das palavras reais, disse: "O que recomendais é verdade; se este jovem continuasse vivendo com os ladrões, acabaria tornando-se

[*38*]

LIVRO I - DO CARÁTER E DA CONDUTA DOS REIS

um deles em palavras e atos. No entanto, escravo de vossa majestade que sou, espero que seja criado na companhia de pessoas virtuosas e sábias. Será digno delas, porque é jovem e a educação criminosa ainda não o tocou. Não está escrito que todos os homens nascem muçulmanos e os pais é que os fazem judeus, cristãos ou guebros?"

A mulher de Loth associou-se a homens ruins.
Assim, destituiu sua família
De todos os dons de profecia.

Durante algum tempo,
O cão dos Sete Dormentes[17] seguiu a pegada dos justos
E tornou-se um homem.

Outros cortesãos fizeram eco à sua defesa até que o rei cedeu, embora ainda manifestasse dúvidas quanto à sabedoria de tal decisão.

Sabes o que Zal disse a Rustam?[18]
Não subestimes a força do inimigo.
Vi a água de um riacho avolumar-se,

---

17. No *Corão*, a história dos Sete Dormentes é relatada no capítulo XVIII, chamado 'A Caverna', v. 9-26. Para os exegetas, trata-se de uma referência a uma lenda oriental, comum a muçulmanos e cristãos. Segundo a versão cristã, os sete adormecidos eram jovens monoteístas de Éfeso que, para escapar à perseguição de Décio (249-251 d. C.), refugiaram-se numa caverna e permaneceram adormecidos, guardados por um cão, para despertar 196 anos mais tarde, sob o governo de Teodósio II (408-450). Segundo a versão muçulmana, a perseguição deu-se sob Trajano (98-117 d. C.), e os dormentes despertaram 309 anos mais tarde (*Corão*, XVIII, 25) sob o governo de Teodósio II.

18. Rustam, ou Rastam, era filho de Zal; ambos são celebrados como heróis de grande força e valentia no *Shahnamah*, de Firdawsi.

[39]

GULISTAN / O JARDIM DAS ROSAS, DE SAADI DE SHIRAZ

Até trazer na correnteza
Um camelo carregado de bagagens.

Em suma, o menino foi criado com bondade. Confiado aos cuidados de tutores especiais, aprendeu as boas maneiras e a bela linguagem, e assim ganhou as boas graças de todos. Um dia, o ministro vangloriou-se das excelentes qualidades do menino diante do rei, dizendo: "A educação dada por pessoas de bem fez efeito. A ignorância e a brutalidade primitivas foram extirpadas!" O rei sorriu e disse: "No final, o filhote de lobo torna-se lobo, mesmo havendo sido criado entre homens".

Passaram-se um ou dois anos. Nesse período, um certo número de jovens desencaminhados agrupou-se em torno do menino, jurando-lhe profunda amizade. Então, aproveitando-se de uma chance, apunhalaram o ministro e seus dois filhos, levando um tesouro de valor inestimável. Refugiaram-se no antro dos ladrões e o jovem tomou o lugar de seu pai como chefe dos bandidos. Ao saber da notícia, o rei disse:

"Pode-se forjar bom gládio com aço ruim?
Uma pessoa sem méritos
Não pode adquirir reconhecimento.
Ó sábio, a chuva providencial
Não conhece limites,
Rega tão bem as tulipas quanto as ervas daninhas.
Uma terra salgada não produzirá jacintos.
Não desperdices grãos e esforços
Tentando fazê-los brotar.
Fazer o bem aos maus é tão nocivo
Quanto agir mal para com os bons".

[40]

LIVRO I - DO CARÁTER E DA CONDUTA DOS REIS

CONTO 5

No pátio do palácio de Uglamish,[19] vi o filho de um oficial dotado de conhecimento e sabedoria muito superior ao comum em sua idade. Desde a mais tenra infância, prometia um futuro brilhante. Em razão de sua inteligência, a estrela da grandeza cintilava sobre sua cabeça.

Com o tempo, tornou-se o favorito do sultão, pois nele a beleza igualava-se à sabedoria e à intuição. O sábio disse: "O sucesso depende da virtude e do mérito, e não do dinheiro. Assim, também a grandeza reside na sabedoria e não no número de anos". Os companheiros invejavam-lhe a privilegiada posição. Acusaram-no de traição e tentaram, sem êxito, provocar sua morte.

O que podem contra ti os inimigos,
Quando o Amigo é teu amigo?

O rei perguntou-lhe: "Qual a razão desta animosidade?" O jovem respondeu: "Possa o reino de vossa majestade ser duradouro. Sob vossa sombra protetora, penei duramente tentando satisfazer a todos, mas os invejosos só ficarão satisfeitos com a ruína de minha influência".

Posso adoçar o coração de alguém,
Mas o que posso fazer ao coração do homem invejoso?
A doença está nele,
Dela só escapa na morte.
Morre, ó invejoso!
Pois só a morte irá livrar-te do tormento.

---

19. Filho de Gengis Khan, governou o Turquestão em 1256 d. C. (656 d. H.).

GULISTAN / O JARDIM DAS ROSAS, DE SAADI DE SHIRAZ

O homem desventurado deseja ardentemente
A ruína do homem feliz e afortunado.
O morcego não vê a luz do dia.
Será culpa dos raios de sol?
Na verdade, é melhor que haja
Milhões de olhos semelhantes,
Do que um sol apagado!

CONTO 6

Conta-se a história de um rei da Arábia, tirano e opressor, que se havia apropriado das posses de seus súditos. As coisas chegaram a tal ponto que, para escapar à sua tirania, as pessoas fugiam do reino e vagavam, pobres mas livres, por outros países. As rendas do Estado sofriam com a diminuição da população, o tesouro esvaziava-se e, por fim, o inimigo acercou-se das fronteiras.

Aquele que, em circunstâncias críticas,
Pode vir a precisar de ajuda,
Deve ser generoso em tempos de prosperidade.
Teu escravo fugirá se o maltratares.
Sê, pois, afável com o estrangeiro
Para que se torne teu fiel aliado.

Um dia, na corte do rei, foi lida no *Shahnamah* a história da queda de Zahak[20] e do reino de Feridun. O vizir perguntou ao rei:

---

20. Rei árabe que usurpou o trono persa, sendo mais tarde derrotado por Feridun, que o aprisionou na montanha Damavend.

LIVRO I - DO CARÁTER E DA CONDUTA DOS REIS

"Feridun não tinha tesouro, nem posses, nem partidários. Como se tornou rei?" O rei respondeu: "Como ouviste, o povo aderiu a seu estandarte e nomeou-o rei". O vizir replicou: "Ó majestade, se a realeza precisa da unidade de um povo, por que então desunir o vosso? Por acaso não dais importância à vossa soberania?"

> Amai vosso exército
> Como amais a própria vida,
> Pois um rei reina graças a ele!

O rei perguntou: "Quais as vantagens do apoio das tropas e dos camponeses?" O vizir respondeu: "O rei deve ser bom para atrair a si o povo, e deve ser clemente para viver em paz em seu domínio. Vós não possuís nenhuma destas qualidades".

> Assim como o lobo não pode ser um pastor,
> Um tirano não pode governar.
> Um rei que segue uma política despótica
> Destrói os alicerces de seu próprio reino.

O rei ofendeu-se com a advertência do vizir e mandou aprisioná-lo. Pouquíssimo tempo depois, os primos do rei sublevaram-se, reclamando o trono. O povo disperso reagrupou-se em torno de seu partido e conduziu-os à vitória sobre o tirano, cujo trono ocuparam.

> O rei que segue o caminho da tirania
> Faz do melhor amigo um inimigo
> No dia em que este lhe seria útil.
> Fica em paz com teus súditos
> E não mais temerás os inimigos,
> Pois o povo é o exército do monarca justo.

[43]

CONTO 7

Um rei viajava de navio com um escravo persa que nunca vira o mar. Este tremia de corpo inteiro e gemia, lamentando o tempo todo aquela travessia penosa e aterrorizante. Tanto importunou que estragou o prazer do rei, uma vez que ninguém era capaz de sugerir um remédio. Um homem sábio que se encontrava a bordo pediu ao rei autorização para falar com o escravo e tentar tranqüilizá-lo. A permissão foi concedida de bom grado e, sob a ordem do velho, amarrou-se uma corda na cintura do escravo, que foi jogado ao mar e engoliu boa quantidade de água, até quase afogar-se. Finalmente, foi trazido para bordo. Depois disto, sentou-se tranqüilamente a um canto.

Perplexo, o monarca perguntou: "Qual o segredo de tudo isto?" O dervixe respondeu: "Ele não conhecia os terrores do afogamento; portanto, não podia apreciar a segurança relativa que um navio oferece. É assim que um homem que foi pobre aprecia o valor da prosperidade".

> Ó tu, que estás saciado,
> Não amas o pão de cevada.
> Eu amo tudo o que te parece feio.
> Para as huris do Paraíso,
> O Purgatório seria o Inferno.
> Para os habitantes do Inferno,
> O Purgatório é o próprio Céu.
> Há uma grande diferença
> Entre quem tem seu amor nos braços
> E quem olha a porta com esperança.

LIVRO I - DO CARÁTER E DA CONDUTA DOS REIS

CONTO 8

Um dia, perguntaram a Hurmuz,[21] o filho de Naushirwan: "Por que aprisionaste os ministros de teu pai?" Ele respondeu: "Não encontrei defeitos neles, mas traziam no coração um medo terrível de mim e não confiavam inteiramente em minha palavra. Temia que se unissem para me destruir e proteger sua própria segurança. Por isso, coloquei em prática a máxima do sábio:

"Teme, ó sábio, aquele que te teme,
Mesmo que, num combate,
Sejas cem vezes superior a ele.
A serpente morde o pé do camponês,
Por medo de ser pisada.
Nunca viste um gato encurralado
Rasgar os olhos de um leopardo?"

CONTO 9

Um rei da Arábia caiu doente em idade avançada. Já perdera as esperanças quando, um dia, apareceu um cavaleiro nos portais do palácio dizendo: "Boas novas! O forte de fulano acaba de ser anexado às posses de vossa majestade. Vossos inimigos são prisioneiros e todo o povo das redondezas está submetido à vossa autoridade!" O rei suspirou tristemente e disse: "Estas felizes notícias não são para mim, mas para meus inimigos, os herdeiros de meu reino.

---

21. Hurmuz Tajdar era conhecido por fazer justiça prontamente, sem a intervenção de ninguém; era chamado de "o vestidor de coroa" por seu hábito de usá-la para demonstrar seu poder real. Filho de Naushirwan, tinha por tutor Buzurgmihr, que aparecerá no conto 32 do Livro I.

[45]

GULISTAN / O JARDIM DAS ROSAS, DE SAADI DE SHIRAZ

"Passei esta longa vida
Esperando a realização de meus desejos.
Agora que isto aconteceu,
De que adianta?
A vida passada não retornará mais.
Já soou o último rufar do tambor da morte.
Ó olhos meus, dai adeus à minha cabeça.
Palmas, punhos, braços,
Acenai o último adeus!
Pois caí, conforme o desejo do inimigo.
Uma última vez, meus amigos,
Olhai em torno de vós.
Meu tempo escoou na ignorância,
Eu não estava atento,
Mas vós outros, velai!"

CONTO 10

Estava eu na mesquita dos fiéis em Damasco, diante da tumba do profeta Yahya,[22] mergulhado em minhas meditações, quando vi aproximar-se um rei da Arábia, conhecido por suas leis injustas. Ele orava e pedia a ajuda de Deus, a fim de obter o que desejava.

O dervixe e o poderoso
São os servidores da poeira desta porta.
Dos dois, é o homem rico
Quem está em maior necessidade.

---

22. Nome islâmico pelo qual é conhecido o João Batista bíblico, primo de Jesus. Sua santidade é reconhecida também pelos muçulmanos; seus restos jazem na Mesquita Ummiyah, em Damasco.

[46]

LIVRO I - DO CARÁTER E DA CONDUTA DOS REIS

O rei voltou-se para mim e disse: "Tamanha é a piedade e o ascetismo dos dervixes que posso beneficiar-me de tuas preces". E pediu que me juntasse a ele em suas súplicas para obter o domínio sobre um de seus poderosos inimigos. Respondi: "Sede benevolente para com vossos súditos e nada tereis a temer dos inimigos".

Com braços poderosos e força nos dedos,
É pecado esmagar a mão dos fracos.

Aquele que não mostra piedade pelos que estão na terra,
Não teme um dia cair e não encontrar mãos que o socorram?

Aquele que planta o grão ruim
Espera, em vão, pela boa colheita.

Sua imaginação não passa de vaidade.

Ouve os gritos de teu povo e faz justiça,
Lembrando que, se não a fizeres,
Haverá o Dia do Juízo.

A raça humana é feita de homens,
Todos saídos da mesma fonte [Adão].

Quando um homem sente dor,
Os outros não podem ficar indiferentes.

Tu, que és insensível ao sofrimento dos outros,
Não mereces ser chamado homem!

CONTO I I

Apareceu em Bagdá um dervixe cujas preces eram atendidas por Deus. Informado de sua chegada, o governante Hajjaj Yussuf,[23]

---

23.   Hajjaj bin Yussuf foi governador do Iraque, sob o califa Abdul Malik, no ano 65 d. H.

[47]

GULISTAN / O JARDIM DAS ROSAS, DE SAADI DE SHIRAZ

notório tirano, mandou chamá-lo e ordenou: "Diz uma prece para mim". O dervixe rezou: "Ó Deus, toma a vida deste homem". – "Pelo amor de Deus", exclamou o governante, "que espécie de oração é esta?" O dervixe replicou: "Uma oração para vós e para os muçulmanos. Pois vossa morte irá livrá-los de vossa tirania e estareis livre também de vossos pecados futuros".

> Ó tu, que atormentas teus súditos!
> Quanto tempo serás capaz de reinar?
> Para ti, qual a utilidade do poder?
> À tua opressão, é preferível tua morte.

CONTO 12

Um monarca injusto perguntou a um devoto qual ato de piedade conferia mais mérito. Ele respondeu: "Vossa sesta após o almoço, pois durante esse breve momento o povo fica livre de vossa tirania".

> Vi um tirano dormindo no meio do dia, e pensei:
> "Como seria preferível se dormisse para sempre".
> Quando um homem é melhor adormecido que acordado,
> Seguramente é ainda melhor morto do que vivo.

CONTO 13

Ouvi falar de um rei que trocava o dia pela noite em busca de prazer. No auge do deleite, dizia:

> "Não há no mundo momento mais feliz que este,
> Pois não penso no mal, nem no bem,
> E não me preocupo com ninguém".

Livro I - Do caráter e da conduta dos reis

Um dervixe desnudo, debruçado à sua janela, ouviu-o e disse:

"Ó vós, cuja felicidade

Não é partilhada por ninguém neste mundo.

Admitindo que não conheceis a aflição,

Jamais pensastes na minha?"

O rei ficou encantado com esse discurso e, estendendo um milhar de dinares pela janela, disse: "Guarde isto em teu manto!" – "Bem", replicou o dervixe, "como posso servir-me de um manto, se não o tenho?" Tomado de compaixão, o rei enviou ao dervixe um manto com o dinheiro.

Pouco tempo depois, o mendigo já havia gastado todo o dinheiro, e voltou à cidade.

As mãos daquele que está livre de preocupações materiais

Não retêm mais dinheiro

Do que o coração do amante, paciência,

Ou a peneira, água.

Quando o rei já não pensava mais no mendigo, um cortesão comentou o caso e o rei ficou furioso. Os homens sábios e eruditos declararam ser preciso prevenir-se contra a violência e impetuosidade dos reis, pois estes empregam todos seus cuidados nas questões importantes do Estado e apreciam sem indulgência o ser insignificante que chama sua atenção.

Os favores reais são recusados

A quem não espera o momento favorável.

Não submetas teu caso antes de perceber

O momento adequado.

Por uma pressa inoportuna, perderias a dignidade.

[49]

O rei ordenou: "Expulsem esse mendigo desavergonhado que dissipou toda sua fortuna".

> Uma migalha é um tesouro para o pobre,
> Mas um tesouro, um festim para a confraria do diabo.
> O tolo que acende uma luz em pleno dia,
> Em breve nada terá para iluminar a noite.

Um dos ministros do rei, homem de temperamento equilibrado, sugeriu que o dervixe recebesse uma soma regularmente, porém mínima o suficiente para não ser desperdiçada. Afinal, expulsar o mendigo não seria condizente com o caráter generoso do soberano, nem despertar a esperança do dervixe para, em seguida, abandoná-lo à sua triste sorte.

> Não deves abrir a porta ao desejo ardente
> E em seguida fechá-la com violência.
> Ninguém vê os sedentos do Hejaz[24]
> Juntarem-se às margens do mar salgado.
> Onde quer que jorre uma fonte de água pura,
> Reúnem-se homens, pássaros e insetos.

CONTO 14

Era uma vez um rei que não zelava por seu reino e tratava mal suas tropas. Não é de espantar que, quando surgiu um poderoso adversário, os soldados tenham virado as costas ao inimigo e fugido pelos campos.

---

24. É no Hejaz que se situa Meca, para onde acorrem os fiéis em peregrinação.

LIVRO I - DO CARÁTER E DA CONDUTA DOS REIS

Quando os reis não partilham seu tesouro com as tropas,
Os braços dos soldados recusam-se a brandir a espada.
Se são privados da subsistência,
Que ato heróico podem realizar durante a batalha?

Um dos que agira covardemente era meu amigo. Repreendendo sua atitude, eu lhe disse: "Desprezível, indigno e incapaz é aquele que, esquecendo os favores passados, abandona o velho mestre porque sofreu um leve prejuízo em sua condição!" Ele respondeu: "Se queres mesmo ouvir-me, talvez me perdoes. Meu cavalo tinha fome e penhorei o pelego de minha sela. O sultão retém o salário das tropas. Por um homem assim, como mostrar coragem ou arriscar a vida?"

Distribui ouro a teus soldados,
A fim de que dêem a cabeça por ti.
Se não o fizeres, eles te abandonarão.

CONTO 15

Um vizir foi demitido e entrou para uma confraria de sufis. Graças às meditações, alcançou profunda paz interior. O antigo senhor tornou-se novamente receptivo e pediu-lhe que retornasse à corte. O vizir hesitou e disse: "Ficar desempregado e perto da sabedoria é preferível a qualquer outra ocupação".

Aqueles que escolhem um abrigo seguro
Não temem o dente dos cães e a língua dos homens.
Rasgam o papel, quebram a pena,
Escapam às mãos e aos discursos dos maledicentes.

O rei disse: "Preciso de um homem sábio para aconselhar-me na condução de meu reino". O vizir respondeu: "A marca da sabedo-

[*51*]

ria é não engajar-se em semelhantes atividades. O *Huma*[25] é superior aos outros pássaros, pois come apenas ossos e não incomoda seus congêneres".

Perguntaram ao lince: "Como é possível que te tenhas tornado servo do leão?" Ele respondeu: "Como os restos de suas presas e vivo sem temer nenhum de nossos inimigos, à sombra de sua autoridade". Perguntaram-lhe ainda: "Agora que tens a proteção de sua força e reconheceste tua dívida para com ele, por que não te aproximas do círculo de seus servidores e amigos íntimos?" O lince respondeu: "Sinto também certo receio de seu poder".

> Mesmo que um guebro
> Mantenha seu braseiro aceso
> Durante cem anos,
> Basta que caia no fogo uma vez
> Para ser assado.

Um cortesão pode ser recompensado com ouro, mas também com a perda de sua cabeça. Como dizem os sábios: "É bom estar prevenido contra o humor volúvel dos monarcas, pois podem enfurecer-se com uma saudação, ou doar um traje de honra em resposta a um insulto. É certamente verdadeiro dizer que sutilezas e artimanhas são qualidades no cortesão e defeitos no sábio. Age com dignidade, deixa as brincadeiras para os cortesãos".

---

25. Huma, também conhecido como Grifo, é um animal fantástico que possui corpo de leão, cabeça e asas de águia. Pássaro auspicioso, acreditava-se que aquele sobre o qual recaísse sua sombra tornar-se-ia rei. Tanto o leão como a águia são emblemas de realeza, sendo comum sua representação nos brasões das casas reais.

LIVRO I - DO CARÁTER E DA CONDUTA DOS REIS

CONTO 16

Um de meus amigos veio lamentar-se, queixando-se de sua má sorte: "Sou um pobre homem com muitas bocas para alimentar e não suporto o fardo da pobreza. Tenho vontade de emigrar para tentar a vida onde sou desconhecido. Entretanto, não me agrada a idéia de que meus inimigos se divirtam e riam às minhas costas, espalhando o boato de que abandonei minha família. Eles dirão:

"'É uma verdade gritante que um homem de pouco valor
Jamais conhecerá o rosto da fortuna.
Escolheu para si o conforto material
E abandonou à miséria sua mulher e filhos'.

"Como sabes, conheço um pouco de contabilidade. Se graças ao teu apoio, eu fosse capaz de encontrar uma fonte de renda, eu te seria eternamente grato". Repliquei: "Ó meu irmão, deves saber que servir ao rei tem dois aspectos: esperança e medo. Esperança de ganhar o pão e medo de perder a vida. Os sábios são de opinião que não vale a pena correr perigo de morte na esperança de uma simples subsistência.

"Ninguém vai à casa do dervixe para dizer-lhe:
'Paga o imposto sobre tuas terras e teu jardim!'
É preciso escolher: ou bem satisfazer-te
Com as duras provações e a pobreza,
Ou bem abraçar a ansiedade".

Ele protestou: "Tais exemplos não se aplicam ao meu caso, e não respondeste à minha pergunta. Não conheces o provérbio? 'As mãos daquele que não traiu a confiança não tremem quando pres-

GULISTAN / O JARDIM DAS ROSAS, DE SAADI DE SHIRAZ

tam contas!' A honestidade suscita a aprovação de Deus. Nunca vi um homem perder-se no caminho reto. Os sábios têm um provérbio: 'quatro pessoas têm a vida dificultada por outras quatro – o criminoso pelo sultão, o ladrão pelo guarda, o adúltero pelo delator e a prostituta pelo *mohtasib*'.[26] Aquele cujas contas estão em ordem não precisa ter medo".

> Não sejas extravagante quando ocupas um cargo,
> Se desejas abafar os rumores disseminados pelos inimigos
> Quando abandonares teu emprego.
> Permanece puro, ó meu irmão.
> Contudo, teme a maquinação dos outros...
> Lava-se a roupa suja
> Batendo-a contra as pedras.

Eu repliquei: "És como a raposa da fábula que corria em pânico, tropeçando e caindo de pavor. Alguém lhe perguntou o que acontecera. Ela respondeu: 'Ouvi dizer que pegam os camelos para enviá-los a trabalhos forçados!' 'Imbecil', disseram-lhe, 'o que te interessa a sorte dos camelos?' Ela respondeu: 'Imagina que uma pessoa invejosa diga que sou um jovem camelo... e eu seja capturada. Quem se ocupará, então, de libertar-me?'"

> Quando a vacina chegar do Iraque,
> A vítima da serpente já estará morta.

"És um homem prudente e piedoso, mas os perversos estão emboscados e os inimigos esperam-te numa curva do caminho. Se

---

26. Título que designa o oficial encarregado da manutenção de disciplina moral da lei religiosa.

[54]

LIVRO I - DO CARÁTER E DA CONDUTA DOS REIS

descreverem ao rei o contrário de teu caráter íntegro e o monarca ficar descontente, como poderás defender-te? Por isso, aconselho que te contentes com o que tens no momento e abandones a idéia de obter um cargo".

> Nas profundezas do mar
> Há incalculáveis riquezas.
> Mas se procuras segurança,
> Permanece na margem!

Meu amigo ouvia essas palavras com descontentamento crescente e exclamou com impaciência: "Tuas palavras não têm sentido, são desprovidas de sabedoria e experiência. O velho ditado comprova-se mais uma vez: 'os amigos revelam seu caráter na prisão; à mesa, os inimigos apresentam-se como amigos'.

> "Não consideres como teu amigo
> O homem que, em período de prosperidade,
> Manifesta amizade e se vangloria de sua lealdade.
> Chamo amigo aquele que permanece a meu lado
> Na fortuna e na adversidade".

Vi que ele estava furioso e revoltava-se contra meus conselhos. Por isso, fui procurar o ministro das finanças e, valendo-me de nossa velha amizade, consegui um trabalho para meu amigo, após descrever suas qualidades e aptidões.

Transcorrido algum tempo, sua amabilidade e sua prudente administração atraíram a atenção dos superiores, que o nomearam para um posto elevado. Sua estrela estava ascendente e ele realizou seu maior desejo, tornando-se confidente do sultão, que depositava nele enorme confiança. Alegrando-me com sua prosperidade, eu lhe disse:

[55]

GULISTAN / O JARDIM DAS ROSAS, DE SAADI DE SHIRAZ

"Não tenhas o coração partido,
E não te deixes perturbar por uma tarefa difícil.
A fonte do Elixir da Vida
Não se encontra nas regiões obscuras?
Não fiques sentado,
Contemplando com aborrecimento os altos e baixos.
A paciência é amarga, mas traz sua recompensa".

Pouco depois, tive oportunidade de fazer a peregrinação a Meca em companhia de amigos e ausentei-me por um bom tempo. Quando regressei, este amigo veio ao meu encontro. Sua aparência era de extrema pobreza, à maneira dos dervixes. Perguntei-lhe o que acontecera, ao que ele respondeu: "Exatamente como havias previsto, invejosos acusaram-me de abuso de confiança e o sultão acreditou nos caluniadores sem fazer inquérito. Os velhos amigos e companheiros, em quem acreditei, esqueceram-se da lealdade e não assumiram minha defesa.

"Já não viste alguma vez
O bajulador prosternar-se e arranhar a terra
diante da autoridade?
Mas quando o potentado perde seu poder,
O mundo inteiro esmaga sua cabeça no chão.

"Em suma, sofri todo o tipo de castigo até esta semana, quando fui libertado, em ação de graças, pelos peregrinos que voltaram sãos e salvos. Meus bens desapareceram e minha herança foi confiscada".

Eu disse: "As advertências que te fiz, há muito tempo, não foram bem acolhidas. Eu te disse que servir ao rei é semelhante a uma perigosa viagem por mar: perigosa, mas lucrativa. Ou bem se adquirem riquezas, ou bem se perece, levado pelas ondas".

[56]

LIVRO I - DO CARÁTER E DA CONDUTA DOS REIS

Ora o mercador recolhe pérolas com as duas mãos,
Ora as ondas devolvem-no sem vida à terra.

Achei que não seria justo repreender demais este homem desventurado, passando assim o sal em suas feridas, e conclui com esta estrofe:

"Não sabes que, um dia,
Se ignoras o conselho dos outros,
Verás correntes em teus pés?
Da próxima vez, se não podes suportar a picada,
Não coloques o dedo no ninho do escorpião".

CONTO 17

Eu tinha alguns companheiros cujos negócios eram premiados pelo sucesso e que, interiormente, eram coroados pela pureza. Um homem eminente tinha a mais alta opinião desta confraria e doava-lhe uma subvenção regular. No entanto, um dos irmãos cometeu um ato indigno de um dervixe e desgostou seu benfeitor, que suspendeu todos os donativos. Desejando que voltassem às boas graças do nobre homem, fui à sua casa. O porteiro não me deixou entrar e chegou mesmo a ser insolente. Não me ofendi, pois está dito:

Não vás com presentes
À porta de príncipes, ministros ou sultões.
Quando os cães de guarda e os porteiros
Vêem um homem chegar assim,
Um agarra suas roupas pelas costas,
E o outro, a barra de seu manto.

Tão logo o ilustre personagem foi informado de minha solicitação, fui solenemente recebido, e indicaram-me um lugar de honra. Entretanto, sentei-me em lugar mais modesto, dizendo: "Sou o mais humilde de vossos servos, deixa-me sentar junto aos escravos".

Ele exclamou: "Não deves falar assim. Ainda que sentasses sobre minha cabeça, eu o aceitaria, pois tua presença é para mim um bem precioso".

Finalmente, sentei-me, e começamos a conversar sobre vários assuntos, até que chegamos ao tema da má conduta de meu amigo. Logo, intervi:

> "Que falta pode cometer o servidor
>
> Para que seu senhor e benfeitor irrite-se a tal ponto?
>
> Deus, Senhor de toda grandeza e misericórdia,
>
> Vendo uma falta, nem assim deixa de ser dadivoso!"

Sensibilizado por este discurso, meu anfitrião ordenou que se restabelecessem os donativos à confraria. Agradeci sua generosidade e, ao sair, disse:

> "Desde que a Caaba[27] tornou-se o centro
>
> De tudo o que os homens precisam,
>
> As pessoas percorrem milhas e milhas
>
> Para ali rezar.
>
> Devei ser tolerantes para com homens como nós,
>
> Pois ninguém atira pedras numa árvore estéril".

---

27. V. *Glossário*

LIVRO I - DO CARÁTER E DA CONDUTA DOS REIS

CONTO 18

Um príncipe herdou do pai enorme fortuna e, sem parcimônia, distribuiu riquezas ao exército e ao povo.

O odor de uma caixinha de aloés
Não refresca o nariz.
Atira-a ao fogo
E exalará o perfume do âmbar gris.
Se procuras grandeza, sê generoso!
Enquanto não semeado,
Não germinará o grão.

Um cortesão imprudente pôs-se a admoestar o príncipe, dizendo: "Vossos predecessores juntaram este tesouro com dificuldade e o preservaram para ser usado no momento oportuno. Abandonai, agora, vossa prodigalidade, pois os perigos ameaçam-nos e os inimigos unem-se contra nós; na hora da adversidade, não deveis estar desprovido.

"Se distribuis o tesouro ao povo,
Cada mendigo receberá apenas um grão de arroz.
Por que não coletar um grama de prata de cada cidadão,
A fim de que vosso tesouro cresça dia a dia?"

O príncipe ficou furioso com essas sugestões, que contradiziam sua magnânima disposição de espírito, e repreendeu o cortesão, dizendo-lhe: "O Deus de toda grandeza fez-me monarca deste reino para proteger-me e proteger meus súditos. Não sou um guarda nomeado para velar o tesouro.

[59]

GULISTAN / O JARDIM DAS ROSAS, DE SAADI DE SHIRAZ

"Qarun[28] pereceu, apesar de seus quarenta tesouros.

Naushirwan não morreu,

Porque deixou atrás de si um nome glorioso".

CONTO 19

Um *kebab*[29] estava sendo preparado com uma caça recém-abatida. Os cozinheiros não tinham sal e um escravo foi enviado à aldeia vizinha para obtê-lo. Antes que partisse, Naushirwan recomendou-lhe, expressamente, que pagasse pelo sal obtido, a menos que fosse um costume local pegar sem pagar ou reduzir a aldeia à ruína. Alguns lhe perguntaram: "Que mal poderia causar tão insignificante delito?" Ele respondeu: "No início, a tirania parecia um fenômeno sem conseqüência. Em seguida, cada um contribuiu um pouco, até que ela atingiu sua importância atual.

"Se um rei come uma maçã do pomar de um súdito,

Seus soldados arrancarão a árvore.

Para a metade de um ovo

Que o sultão se dê ao direito de tomar à força,

Suas tropas porão mil galinhas no espeto.

O usurpador não vive eternamente,

Mas a maldição pesará sobre ele para sempre".

---

28. Qarun (em hebraico, Korah), o Coré bíblico: primo e cunhado de Moisés, a quem este ensinou alquimia. Adquiriu, assim, grande riqueza. Chamado a pagar tributo, recusou-se e forjou falsas evidências contra o legislador; como punição, foi engolido pela terra. Ver *Bíblia Sagrada*, "Livro dos Números", capítulo XVI, de onde a história de Qarun parece ter sido transmitida ao Islam.

29. *Kebab*: carne assada na brasa.

LIVRO I - DO CARÁTER E DA CONDUTA DOS REIS

CONTO 20

Ouvi a história de um coletor de impostos que arruinava os camponeses para aumentar o tesouro do sultão, desprezando o sábio ditado: "Aquele que explorar o povo para ganhar os favores do sultão será castigado pelas próprias vítimas, pois Deus as enviará contra ele".

> A eficácia da purificação
> Pela fumaça da arruda[30]
> Nada pode contra o suspiro
> De um coração ferido.

Dizem que o leão é o rei dos animais e que o mais humilde entre eles é o asno, embora os sábios considerem o animal de carga mais valioso que o leão comedor de homens.

> Asno desafortunado,
> Mesmo sendo uma besta estúpida,
> És apreciado como animal de carga.
> Os bois e os asnos valem mais
> Do que os homens que os atormentam.

Contam que o sultão soube das incúrias do coletor de impostos, e que este foi torturado e executado.

---

30. Das ervas utilizadas ritualmente na antiga Pérsia, encontramos o *ispand* (*Pagana Harmala L.*). A fumigação desta planta ou sua semente queimadas é usada no tratamento de várias enfermidades; como incenso, purificava as casas, espantando o mau-olhado, especialmente nos ritos de nascimento e casamento; quando ingerida, matava ou expelia os parasitas nos homens e nos animais.

GULISTAN / O JARDIM DAS ROSAS, DE SAADI DE SHIRAZ

A aprovação do sultão
Não te será concedida,
A menos que procures obter
As boas graças de seus súditos.

Dizem que uma de suas vítimas passava perto do lugar em que ele recebia seu castigo e, refletindo sobre sua lastimável situação, exclamou:

"Todos aqueles que, por extorsão,
Têm o poder de reduzir a nada
Os bens dos homens,
Não estão autorizados a fazê-lo.
É possível engolir um osso pontudo,
Mas que angústia
Quando este atingir o umbigo!"

CONTO 21

Conta-se a história de um opressor que atirou uma pedra na cabeça de um homem piedoso. O dervixe não estava em condições de revidar. Um dia, tendo incorrido na cólera do rei, o agressor foi preso. O velho dervixe, que guardara a pedra, foi visitar o prisioneiro e golpeou-lhe a cabeça com a mesma. Este, aturdido, perguntou: "Quem és, e por que me bateste com esta pedra?" O velho respondeu: "Sou aquele que feriste e esta é a pedra que um dia atiraste". A vítima perguntou: "Por que não revidaste antes?" – "Na época", disse o sábio, "eu temia teu poder e autoridade; mas acho que agora é o momento adequado de ensinar-te boas maneiras, pois é verdade que:

[62]

LIVRO I - DO CARÁTER E DA CONDUTA DOS REIS

"Se vês um homem indigno prosperar,
Os sábios renunciarão à própria autoridade.
Se não tens unhas afiadas e dilacerantes,
É melhor não desafiar rufiões.
Aquele que mede forças contra um braço de aço
Inflige dor ao próprio pulso.
Espera, pois, que a sorte lhe ate as mãos.
Então, para grande alegria de teus amigos,
Parte-lhe ao meio."

CONTO 22

Um rei foi atingido por um mal terrível sobre o qual é preferível não entrar em detalhes. Um grupo de médicos da escola Unani[31] convenceu-se de que o único remédio seria transplantar para ele a vesícula biliar de um ser humano que apresentasse determinadas características. O rei ordenou que se procurasse um homem correspondente à descrição dos médicos. Quando finalmente encontraram o filho de um camponês que reunia todas as condições, deram dinheiro a seus pais para compensá-los e conduziram o jovem à corte. O juiz promulgou um decreto segundo o qual se permitia derramar o sangue de um súdito inocente caso se tratasse de devolver a saúde ao rei.

No momento em que o carrasco ia proceder à execução, o jovem ergueu o rosto ao céu e pôs-se a rir. Surpreso, o rei perguntou-lhe a razão daquela alegria na hora da morte. O jovem respondeu: "O dever

---

31. O termo designa a medicina hipocrática, grega, ou jônica.

[63]

dos pais compreende a proteção dos filhos; os contendores queixam-se ao juiz e pedem justiça ao rei. Mas meus pais entregaram-me à morte em troca de bens efêmeros, perecíveis; o juiz promulgou um decreto que me condena à morte e o rei vê sua vantagem em minha desgraça. Busco refúgio em Deus, o Grande e Glorioso.

> "Diante de quem imploraria socorro,
> Se estou em tuas mãos?
> Diante de teu trono, peço justiça
> E ergo-me contra ti."

Comovido, o rei virou o rosto para esconder suas lágrimas e disse: "Minha morte é preferível ao sangue de um inocente!" Então, abraçou o jovem, deu-lhe muitos bens e devolveu-lhe a liberdade. Dizem que, na mesma semana, o rei recuperou a saúde.

> Rumino os versos
> Que, às margens do Nilo,
> Um guardião de elefantes repetia:
> "Queres compreender a formiga
> Sob teu calcanhar?
> Bem... imagina-te
> Sob a pata de um elefante".

CONTO 23

Um dos escravos do sultão Amr bin Lais[32] foi preso enquanto tentava fugir. O vizir ficou furioso e ordenou que o matassem para

---

32. Segundo sultão da dinastia safárida, que reinou em Fars entre 878 e 901 d.C. (267 d. H.).

LIVRO I - DO CARÁTER E DA CONDUTA DOS REIS

tirar dos outros qualquer pretensão de fazer o mesmo. O escravo deitou a cabeça no chão diante de Amr e disse:

"Com tua aprovação,
Tudo o que me acontecer é justo.
O que pode pleitear o escravo?
A decisão é tua.

"Entretanto, como fui criado na generosidade de tua casa, não desejo que tenhas de responder por meu sangue no Dia do Juízo. Se estás decidido a condenar-me à morte, que o faças conforme a lei. Não derrames o sangue de um inocente, para que ele não recaia sobre tua cabeça. Permita-me matar o vizir e depois executa-me por meu crime". O rei começou a rir e pediu a opinião do vizir. "Libertai este infame", disse ele, "em memória de vosso pai, para que eu seja liberto dessas intrigas. É minha culpa, pois não respeitei o conselho dos sábios que diz:

"Se travas combate
Com um atirador de pedras,
Terás a cabeça quebrada
Por tua ignorância.
Quando perdes a flecha
Perante o inimigo,
Cuidado! Também tu és o alvo."

CONTO 24

O rei de Zauzan[33] tinha a seu serviço um eunuco generoso e

---

33. Cidade persa localizada entre o Herat e Nishapur, cujo nome deriva de seu fundador.

[65]

amável, muito respeitoso, que falava bem das pessoas mesmo em sua ausência. Como acontece, incorreu um dia na cólera do rei, que o condenou a uma multa e mandou-o à prisão. Os encarregados de executar as ordens do rei deviam favores ao camareiro e, enquanto ele esteve preso, trataram-no com toda a cortesia e consideração, jamais com aspereza.

> Faz a paz com teu inimigo.
> Ainda que ele te tenha caluniado pelas costas,
> Louva-o quando ele estiver contigo.
> Palavras maledicentes saem de bocas falsas.
> Se não queres ouvir palavras amargas,
> Torna benevolente tua boca.

As coisas seguiram assim seu curso, até o dia em que ele se liberou da multa e foi mantido na prisão para expiar o resto da pena.

Um dia, recebeu em sigilo a carta de um príncipe de um reino vizinho, dizendo: "Um certo príncipe está aparentemente esquecido do valor de homem tão estimável e não o tratou honrosamente. Se o excelente espírito desta pessoa – que Deus lhe poupe o tormento – aceitar um pouco de atenção, todos os esforços serão feitos para respeitar seus desejos. Os nobres deste reino estão impacientes para vê-lo e esperam sua resposta".

O camareiro ficou alarmado com a carta e escreveu uma resposta bem curta no verso, concebida de tal modo que, se caísse em mãos estranhas, ele não correria o risco de uma punição ainda mais severa. O rei soube que lhe fora endereçada uma carta por um soberano vizinho e ordenou que não se poupassem esforços para encontrá-la. A carta foi encontrada e a resposta dizia: "Este escravo não é digno da alta opinião da nobre figura que a escreveu. Não é possível

LIVRO I - DO CARÁTER E DA CONDUTA DOS REIS

a este escravo aceitar a honra que lhe é concedida, pois tendo sido criado na generosidade desta casa, não poderia ser ingrato ao seu mestre, simplesmente por uma ligeira mudança de humor com relação ao seu servo. Pois está dito: 'Perdoa-o, se uma única vez ele te prejudicou ao longo de toda uma vida em que foi constantemente generoso contigo'".

O rei ficou satisfeito com seu reconhecimento, doou-lhe bens e uma veste de honra para recompensá-lo e pediu-lhe perdão, dizendo: "Errei em punir-te sem motivo". Ele respondeu: "Senhor, vosso escravo não pode reconhecer erro algum em vós. Na verdade, foi por um decreto do Altíssimo que algo de desagradável atingiu vosso servidor; portanto, foi melhor que o castigo viesse de vossas mãos, pois sou devedor de todos os vossos favores. Como dizem os sábios:

"'Não te aflijas com o mal
Que os homens podem infligir-te,
Pois nem a alegria nem a aflição vêm do homem.
Vê em Deus a origem das ações dos amigos e dos inimigos,
Pois cada coração está sob a dependência do Um.
Mesmo que a flecha seja lançada a partir do arco,
Compreende que foi atirada pelo arqueiro'".

CONTO 26[34]

Ouvi dizer que um rei da Arábia deu ordem a seu tesoureiro de dobrar o salário de um de seus súditos, não importando a quantia,

---

34. No original de Mirza Muhammad Qasim Sarmouni, utilizado pelo tradutor, o conto 25 se perdeu. A maioria das edições renumera os contos. Optamos por manter a numeração original.

[67]

pois era um cortesão diligente e consciencioso, ao passo que os outros eram negligentes e só queriam divertir-se.

Por acaso, um homem piedoso ouviu a ordem do rei e deu um grande grito. Perguntaram-lhe então: "O que te faz gritar assim?" Ele respondeu: "O que acaba de acontecer é exatamente similar à ascensão do fiel às posições mais elevadas da Corte de Deus".

> Serve fielmente ao rei duas manhãs seguidas,
>
> E estejas certo de que, no terceiro dia,
>
> Ele te lançará um olhar de aprovação.
>
> Os homens verdadeiramente piedosos
>
> Estão plenos de esperança e certeza
>
> De que não se retirarão desencorajados da Corte de Deus.
>
> A submissão conduz à grandeza.
>
> A desobediência leva, fatalmente, ao infortúnio.
>
> Aquele que traz as marcas da humildade
>
> Atinge o umbral na adoração.

CONTO 27

Conta-se a história de um homem cruel que comprava lenha dos pobres a preço baixo para revendê-la aos ricos, obtendo um lucro substancial. Um devoto foi vê-lo e disse:

> "És como a serpente, que morde tudo o que vê?
>
> Ou como a coruja, que semeia ruína onde quer que passe?
>
> Tua violência, mesmo que a suportemos,
>
> Não terá qualquer efeito sobre o Senhor,
>
> A quem nada se pode esconder.
>
> Não sejas duro para com os habitantes da terra,
>
> Teme que suas imprecações sejam ouvidas pelo Céu".

[68]

LIVRO I - DO CARÁTER E DA CONDUTA DOS REIS

O espoliador ficou furioso com tais advertências, mas decidiu ignorá-las. Seu orgulho levou-o a pecar ainda mais. Uma noite, brasas caíram de seu forno num pedaço de lenha. Sua propriedade queimou-se e o homem, caído de seu leito macio, viu-se numa cama de cinzas. O mesmo sábio passava por ali e ouviu o homem dizer a um amigo: "Não entendo como o fogo pôde alastrar-se desta maneira", ao que o sábio respondeu: "Isto provém dos suspiros exalados dos corações dos pobres".

> Previne-te dos lamentos de um coração ferido,
> Pois a ferida não passará sempre despercebida.
> Tanto quanto te seja possível,
> Não dês razão a nenhum ser de lamentar-se,
> Pois uma única queixa pode abalar o mundo.

Estas palavras sutis foram, então, gravadas sobre a entrada do palácio de Kai Khosroe:[35]

> Durante anos e vidas inteiras,
> Homens passaram sobre a terra, acima de minha cabeça.
> Este reino foi transmitido de mão em mão, até as minhas
> E assim passará a outras mãos.

CONTO 28

Um homem tornara-se extremamente hábil na arte de lutar. Dominara trezentos e sessenta golpes notáveis e, a cada dia, inven-

---

35. Nome de um dos reis sassânidas celebrados no *Shahnamah*, fundador de uma cidade homônima, próxima de Nishapur.

[69]

GULISTAN / O JARDIM DAS ROSAS, DE SAADI DE SHIRAZ

tava outros novos. Tinha um aluno favorito, a quem ensinara trezentos e cinqüenta e nove dos golpes que sabia, deixando para mais tarde a transmissão do último de seus segredos. Em pouco tempo, o jovem alcançou tamanho grau de conhecimento que ninguém conseguia vencê-lo.

Um dia, na presença do rei, o jovem declarou-se igual ao mestre em força e habilidade. Sua arrogância desagradou ao rei, que ordenou que mestre e aluno lutassem diante dele. Um vasto terreno foi escolhido e vieram cavalheiros e damas de todo o reino, e atletas do mundo inteiro para assistir a luta.

Logo na abertura da competição, o jovem, como um elefante furioso, investiu com tal força que teria derrubado uma montanha de ferro. Sabendo que o aluno era mais forte e mais hábil, o mestre usou o golpe secreto, dominou o jovem e levou-o ao chão. Uma grande ovação veio do público e o rei concedeu uma veste de honra e uma grande soma em dinheiro ao vencedor. Repreendendo o discípulo, o rei disse: "Pretendias vencer teu mestre e fracassaste em tuas pretensões". O jovem respondeu: "Senhor, o mestre privou-me do conhecimento de um golpe e utilizou-o hoje. Portanto, não triunfou pela força". O mestre respondeu: "Guardei este golpe para uma ocasião como esta, pois o sábio disse: 'Não dês ao amigo um poder tal que ele fique em condições de, se desejar, fazer-te mal!' Não ouviste falar do mestre a quem o aluno fez perecer?"

> A cada dia, eu o instruía na arte do arco,
> Até o momento em que, seu braço tornado forte,
> Atirou contra mim.
> A fidelidade é, talvez,
> Uma estrangeira neste mundo.

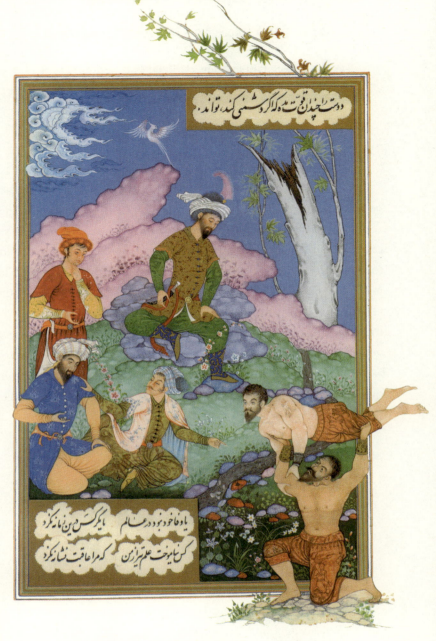

'Não dês ao amigo um poder tal que ele fique
em condições de, se desejar, fazer-te mal!'

GULISTAN / O JARDIM DAS ROSAS, DE SAADI DE SHIRAZ

Ou talvez não fosse ainda praticada
Pelas pessoas de outrora.
Nenhum daqueles a quem ensinei a arte do arco
Deixou, em seguida, de tomar-me como alvo!

CONTO 29

Um dervixe que fizera voto de solidão estava sentado, isolado no deserto, quando um rei passou por ele com seu séqüito. Estando o dervixe em êxtase, não ergueu a cabeça e sequer percebeu o cortejo. O monarca, embora estivesse alegre e bem-humorado, irritou-se e disse: "Esses homens que usam mantos remendados são tão insensíveis quanto os animais, e não têm educação nem humildade". O vizir aproximou-se do dervixe e disse-lhe: "Ó dervixe, o sultão de todas as terras passou por aqui. Por que não lhe rendeste homenagem como se requer?" O dervixe respondeu: "Deixa o sultão receber as homenagens dos que buscam adquirir suas boas graças. Dize-lhe que os reis foram feitos para proteger seus súditos, e não os súditos para servir aos reis".

Ainda que seu reino tenha esplendor sem limites,
O rei é o guardião dos pobres.
Os carneiros não são feitos para o pastor,
Mas o pastor é feito para guardar os carneiros.
Se vês um homem afortunado,
Verás outro com o coração partido pela má sorte.
Na morte, a espera é de apenas alguns dias,
Até que a poeira consuma o cérebro.
A distância entre a soberania e a servidão
Não dura indefinidamente.

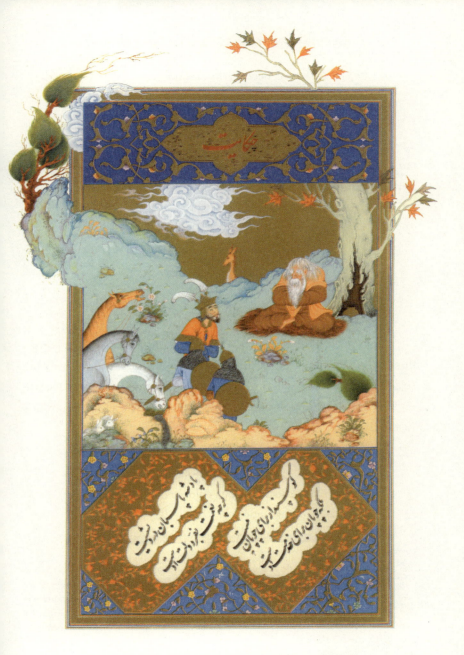

"Os reis foram feitos para proteger seus súditos,
e não os súditos para servir aos reis"

GULISTAN / O JARDIM DAS ROSAS, DE SAADI DE SHIRAZ

Quando vem o decreto do destino,

Ao exumar as cinzas dos mortos,

Como distinguirás as do rei e as do mendigo?

O rei ficou tão impressionado com a sabedoria do dervixe que lhe ofereceu um favor. O dervixe respondeu: "Desejo que não me perturbes uma segunda vez". – "Dá-me então um conselho", pediu o rei. O dervixe respondeu:

"Agora que tens nas mãos

O poder e a soberania,

Sabe que passarão de mão em mão".

CONTO 30

Um vizir foi visitar Zulnun Misri[36] e pediu-lhe seus bons conselhos, dizendo: "Dia e noite sirvo ao sultão, esperando que isto me seja útil e temendo seu castigo". Zulnun chorou e disse-lhe: "Tivesse eu temido a ira de Deus como temes a do sultão, e eu seria um dos Justos da terra".

Não houvesse esperança, medo, alegria e dor,

Os pés do dervixe estariam no céu.

Se o vizir temesse a Deus como teme o rei,

Tornar-se-ia um anjo.

---

36. Há dois personagens de nome Zulnun: um é o profeta bíblico Jonas, outro, que parece ser o aludido aqui, é Abu Fazl Suban bin Ibrahim. Conta-se que foi acusado injustamente de ter roubado uma pérola de grande valor que pertencia ao sultão; invocando a ajuda de Deus para provar sua inocência, a pérola foi achada no ventre de um peixe. Celebrado como santo entre os sufis, morreu no Egito em 245 d. H.

[74]

LIVRO I - DO CARÁTER E DA CONDUTA DOS REIS

CONTO 31

Um rei condenou à morte um inocente. O condenado disse: "Ó rei, não faças mal a ti mesmo com a cólera que sentes por mim". – "O que queres dizer?", replicou o rei. Ele respondeu: "Minha punição será consumada em alguns instantes, mas a culpa pesará sobre ti para sempre.

"Como o vento varre o deserto,
Assim, a vida segue seu curso.
Sofrimento, alegria, feiúra e beleza
Tudo há de esvaecer-se.
O tirano, ao pensar que punia,
Somente atraía para si
A punição da qual escaparei".

Esta advertência impressionou o rei, que renunciou a derramar seu sangue.

CONTO 32

Os ministros do rei Naushirwan discutiam um importante assunto de Estado, e cada um dava sua opinião segundo seu conhecimento. O rei, por sua vez, elaborou um plano de ação.

Quando o plano foi executado, ficou evidente que o grão-vizir Buzurgmihr adotara as idéias do rei. Os outros ministros perguntaram-lhe confidencialmente: "Em que o plano do rei é melhor que as opiniões de tantos espíritos esclarecidos?" Ele respondeu: "Adotei o plano do rei porque a saída para este caso está nas mãos de Deus. Depende d'Ele que tenhamos ou não razão. Se nos enganarmos, sofreremos as conseqüências; mas se concordarmos com o plano do

[75]

GULISTAN / O JARDIM DAS ROSAS, DE SAADI DE SHIRAZ

rei e ele estiver errado, estaremos preservados de sua cólera. Os sábios dizem:

"Exprimir uma idéia contrária à do sultão
É lavar as mãos no próprio sangue.
Se o rei decreta que o dia seja noite,
Admira a lua e as plêiades".

CONTO 33

Um viajante que usava uma trança em cada lado da cabeça, como um descendente de Áli, entrou numa cidade com uma caravana de peregrinos vindos do Hejaz, dizendo: "Estou vindo de Meca", e apresentou ao rei um poema que afirmava ser de sua autoria. Mas um cortesão que acabara de chegar de uma longa viagem disse: "Vi esse homem em Basra, na época da Festa do Sacrifício.[37] Como poderia estar entre os peregrinos?" E um outro afirmou: "Eu o conheço, seu pai era um cristão da Malátia.[38] Como pode ser um descendente de Áli?" Além disso, descobriu-se que o poema devia-se a Anwari.

O rei ordenou que lhe dessem uma surra e o expulsassem da cidade. "Senhor de todas as coisas", disse o impostor, "queria dizer somente algumas palavras; mereço a punição que julgares justo infligir-me, mas deixa-me falar:

---

37. Durante o *Îd*, ou Festival de Azha, os peregrinos do *Hajj* celebram em Meca o Dia do Sacrifício, o décimo dia do mês de Zulhejjah, em honra ao sacrifício de Ismael; para os muçulmanos, é Ismael – e não Israel, como para os judeus – o objeto do sacrifício oferecido a Deus por Abraão.

38. Cidade turca situada no vale do rio Eufrates.

LIVRO I - DO CARÁTER E DA CONDUTA DOS REIS

"Se um homem pobre te traz iogurte,
Este terá duas partes de soro
E uma de leite coalhado.
Não fiques encolerizado
Se teu escravo falou uma palavra irrefletida.
O ser humano diz muitas mentiras!"

O rei riu e disse: "Em toda a tua vida, nunca disseste algo mais verdadeiro", e ordenou que lhe dessem o que desejasse. O homem agradeceu e partiu satisfeito.

CONTO 34

Um certo vizir, compassivo com seus inferiores, fazia tudo ao seu alcance para melhorar a sorte do povo. Um dia, incorreu na cólera do rei e foi jogado na prisão. Todos tentaram obter sua libertação e os carcereiros tratavam-no com benevolência. Os que ocupavam cargos elevados comentaram suas nobres qualidades e suplicaram ao rei que o perdoasse. Um sábio observou:

"Para ganhar o coração dos amigos,
Vende até mesmo o jardim de teu pai.
A fim de cozinhar para os que te querem bem,
Aceita até mesmo queimar tua mobília.
Mostra-te gentil,
Mesmo com aqueles que demonstram má vontade.
É melhor fechar a goela de um cão
Com uma focinheira!"

[77]

CONTO 35

Com uma fúria indescritível, um dos filhos do califa Harun al Rashid[39] foi queixar-se a seu pai de alguém que insultara sua mãe diante dele. O califa perguntou aos nobres como seria possível castigar tal homem. Um deles sugeriu a pena de morte; outro, o confisco dos bens e o exílio.

Harun disse: "Meu filho, o perdão seria um ato generoso. Se disso não te sentes capaz, devolve-lhe na mesma moeda, sem mais. De outro modo, perderias a razão e seria ele o ofendido".

> Na opinião dos sábios,
> Aquele que tenta lutar contra um elefante
> Não é corajoso.
> Dá prova de bravura aquele que,
> Mesmo irado, não é maledicente.
> Um camponês rude ofendeu um homem
> Que o tolerou com paciência, dizendo:
> "Ó clarividente,
> Sou pior do que dizes,
> Pois conheço minhas faltas
> E tu não".

CONTO 36

Viajava eu de barco em companhia de pessoas distintas, quando uma pequena embarcação afundou logo atrás da nossa, e os dois irmãos que se encontravam a bordo caíram num redemoinho. Um de

---

39. Quinto califa de Bagdá da dinastia abássida, protetor do sufismo.

LIVRO I - DO CARÁTER E DA CONDUTA DOS REIS

meus companheiros exclamou ao piloto: "Dou-te cinqüenta dinares por cada um que salvares". O piloto salvou um, porém o outro afogou-se. Eu observei: "Seu tempo chegou, todos os esforços seriam vãos". Ele pôs-se a rir e respondeu: "Pode ser, mas de qualquer modo, preferi salvar este aqui, porque um dia caí doente na estrada e ele levou-me em seu camelo. Já o outro, uma vez deu-me uma surra".

> Não magoes nenhum coração, se puderes,
> Pois esta vida é cheia de armadilhas.
> Dá tua contribuição aos interesses dos dervixes,
> Pois também tu tens interesses a zelar.

CONTO 37

Era uma vez dois irmãos: um estava a serviço de um sultão e o outro ganhava o pão com o suor de seu rosto. Aquele que era rico disse ao outro: "Por que não servir a alguém, para assim livrar-se das preocupações do trabalhado?" Ele respondeu: "Por que não trabalhar, e assim escapar à desgraça de servir?"

Os sábios dizem: "É melhor comer pão de cevada e sentar-se no chão do que carregar o cinto dourado da servidão".

> É melhor amassar cal virgem com as mãos,
> Que ser obrigado a juntá-las diante de um senhor,
> Em sinal de servidão.
> Que desperdício de vidas preciosas
> Causaram perguntas deste gênero:
> O que comerei no verão? Com que me vestirei no inverno?
> Ó homem insaciável! Contenta-te com uma fatia de pão
> Para não seres obrigado a baixar a cabeça
> Em sinal de servidão.

GULISTAN / O JARDIM DAS ROSAS, DE SAADI DE SHIRAZ

CONTO 38

Alguém trouxe uma boa notícia a Naushirwan, o Justo: "Deus Todo-Poderoso pôs fim à vida de teu inimigo". Ele respondeu: "Acaso ouviste dizer que Ele me pouparia?"

Não me alegro com a morte de um inimigo,
Pois sei que minha própria vida não é eterna.

CONTO 39

Na corte de Kisra,[40] um grupo de sábios estava profundamente envolvido numa discussão. Seu vizir Buzurgmihr permanecia em silêncio. Eles lhe perguntaram: "Por que não dás tua opinião?" "Os vizires são como os médicos, só prescrevem medicamentos para salvar os doentes", respondeu ele. "Como vejo que vossas opiniões são justas, não seria razoável que acrescentasse a minha.

"Quando algo se está cumprindo
Sem minha participação,
É fora de propósito que eu faça um comentário.
Mas se eu visse um cego à beira de um poço,
Então seria nocivo permanecer em silêncio."

CONTO 40

Quando o reino do Egito caiu sob o domínio de Harun al Rashid, este declarou: "Em contraposição ao rebelde arrogante que se atribuía a divindade no Egito, a nenhum outro senão ao mais humilde

---

40. Kisra, (Khosroe ou Cosroe): por esse título os árabes e gregos bizantinos chamavam Naushirwan e todos os reis persas abássidas.

[80]

LIVRO I - DO CARÁTER E DA CONDUTA DOS REIS

de meus escravos confiarei este reino". Um negro chamado Khusaib foi então nomeado governador.

Conta-se que o governante era de inteligência tão limitada que, um dia, respondeu a vários rendeiros que vieram queixar-se de que a colheita de algodão fora destruída pelas chuvas fora de estação: "Deveríeis ter semeado lã, esta não teria sido destruída". Ouvindo essas palavras, um sábio pôs-se a rir e disse:

> "Se a subsistência andasse ao lado da sabedoria,
> Ninguém estaria em pior situação que o tolo.
> O alimento lhe chega de maneira tal,
> Que os sábios ficam assombrados.
> Boa sorte e riqueza não se adquirem
> Somente com habilidade, mas com a ajuda do céu.
> Não viste, muitas vezes, um tolo honrado
> E um homem inteligente desprezado?
> O alquimista busca ouro e morre na dor e na miséria,
> Enquanto o tolo encontra um tesouro em uma ruína".

CONTO 41

Uma jovem concubina chinesa de encanto e beleza sem par foi levada à presença de um certo rei. Já embriagado, ele desejou possuí-la, mas ela resistiu. Então, em sua cólera, ele entregou-a a um escravo negro. Esse escravo tinha o lábio superior totalmente levantado, e o inferior pendia lamentavelmente até a ponta de seu queixo; suas axilas exalavam emanações sulfurosas e seu aspecto teria aterrorizado o próprio espírito maligno Sakhra:[41]

---

41. Nome do demônio ou *jinn* que conseguiu roubar o anel de Salomão, conforme narrado n'*As Mil e uma Noites*.

[*81*]

"Um homem exaurido pela sede chega ante uma fonte que brilha ao sol:
Nem um elefante enraivecido poderia detê-lo.

LIVRO I - DO CARÁTER E DA CONDUTA DOS REIS

Dir-se-ia que nele a feiúra atingia seu zênite,
Como a beleza em José.
Tinha um aspecto tão hediondo,
Que era impossível descrevê-lo.
Quanto às suas axilas... Deus me proteja!
Carniça apodrecendo ao sol!

Um grande desejo animava o negro e seu ímpeto incontrolável subjugou a resistência da jovem. Mais tarde, já recuperado de suas emoções, o rei procurou a jovem mas não conseguiu encontrá-la. Quando soube o que se passara, foi tomado de fúria e ordenou que a atassem ao negro e que ambos fossem atirados do alto das muralhas do palácio.

Um ministro, homem de coração, inclinou-se diante do rei e interveio em favor deles, dizendo: "O negro não tem tanta culpa, uma vez que os servidores de vossa majestade esperam receber presentes e recompensas de quando em quando". O monarca, um pouco mais calmo, declarou: "Ele poderia, ao menos, ter-se controlado por uma noite; não haveria mal nisso". O vizir replicou: "Rei da terra, está dito que:

"Um homem exaurido pela sede
Chega diante de uma fonte que brilha ao sol:
Nem um elefante enraivecido poderia detê-lo.
Um ateu faminto que descobre uma casa vazia
E comida sobre a mesa,
Não hesitará em servir-se, mesmo se for Ramadan".[42]

---

42. Nono mês do calendário islâmico, ritualmente consagrado ao jejum.

GULISTAN / O JARDIM DAS ROSAS, DE SAADI DE SHIRAZ

Esta maneira de falar agradou ao rei, que disse: "Dou-te o negro de presente, mas o que farei da moça?" O vizir respondeu: "Dê-a ao negro, pois, como se diz, os restos do cão pertencem ao cão:

> "Nunca escolhas como amigo
> Aquele que freqüenta lugares de má fama.
> Os sedentos não apreciam a água pura
> Da qual uma boca fétida bebeu.
> A mão do sultão jamais reaverá a laranja
> Que caiu na lama.
> O homem sedento não cobiçará o jarro
> Que foi tocado por lábios impuros".

CONTO 42

Perguntaram a Alexandre da Macedônia: "Como pudestes fazer tais conquistas no leste e no oeste? Outros reis, antes de vós, dispondo de maiores recursos e exércitos, e com mais anos de experiência, não conseguiram superar vossas conquistas!" Ele respondeu: "Cada vez que, com a ajuda de Deus, eu conquistava um reino, abstinha-me de explorar o povo e nunca falava com irreverência de seus antigos dirigentes".

> Os sábios não julgam grande
> Aquele que fala dos grandes com irreverência.
> Fortuna, trono, autoridade, conquistas,
> Tudo isso é nada, uma vez que passa.
> Não denigras o bom nome dos que estão mortos
> Para que o teu próprio permaneça intacto.

LIVRO II

DA ÉTICA DOS DERVIXES

CONTO I

Um homem de alta distinção perguntou a um dervixe: "O que pensas daquele devoto piedoso, de quem falam com desprezo?" O sábio respondeu: "Nada vejo de reprovável em sua conduta, mas dos segredos de sua consciência eu nada poderia dizer".

> Considera como piedoso e bom
> Quem quer que vista o manto remendado.
> Se não sabes o que traz no fundo do coração,
> Com que direito se poderia julgá-lo dentro de sua casa?

CONTO 2

Vi um dervixe esfregando a cabeça na soleira da Caaba e dizendo: "Ó Deus Clementíssimo e Misericordioso, sabes o que brota da tirania e da ignorância.

> "Peço desculpas por meu serviço negligente,
> Pois não confio em minha capacidade de servir.

[85]

GULISTAN / O JARDIM DAS ROSAS, DE SAADI DE SHIRAZ

Os pecadores se arrependem de seus pecados.
E aqueles que têm o conhecimento
Buscam o perdão na simples adoração.

"Os adoradores esperam uma recompensa, como os mercadores esperam um preço por suas mercadorias. Eu, Teu servidor, venho com esperança, e não com adoração, para implorar, e não para regatear".

Que tomes minha vida ou perdoes meus pecados,
Permaneço de cabeça baixa diante de Tua porta.
Teu mandamento é minha diretriz,
Meus desejos não me guiarão.
Diante da Caaba, vi alguém chorar e rezar:
"Senhor, eu não peço
Que aceites minha adoração,
Mas risca meus pecados
Com um traço da pena do perdão".

CONTO 3

Abdul Qadir Jilani,[43] que a benção de Deus recaia sobre ele, foi visto na santa mesquita de Meca, com o rosto na areia, chorando e dizendo: "Senhor, perdoa-me! Se julgas que mereço a Tua cólera, faz com que me levante cego no Dia do Juízo para que não me envergonhe na presença daqueles que Tu recompensarás".

Com a face na poeira da humildade, digo
A cada manhã, quando me lembro de Ti:

---

43. Mestre sufi, fundador da Ordem Qadiri; teria sido o mestre que iniciou Saadi na doutrina sufi. Morreu em Bagdá no ano de 1166 d. C.

[86]

LIVRO II - DA ÉTICA DOS DERVIXES

Ó Tu, de quem jamais me esqueço,
Pensas Tu em mim?

CONTO 4

Um ladrão entrou na casa de um sufi, mas nada encontrou. Quando ia saindo de mãos vazias, o dervixe sentiu seu desespero e atirou-lhe a própria coberta para que o ladrão não partisse desapontado.

Ouvi dizer que aqueles que trilham
O caminho de Deus
Não inquietam o coração
Nem mesmo de seus inimigos.
Como esperas alcançar elevada posição,
Se estás em desacordo e inimizade com teus amigos?

A atitude dos sufis não muda, é uma só para qualquer pessoa, presente ou ausente: não falam mal de ti pelas costas para, em seguida, em tua presença, parecerem prontos a morrer por ti.

Em tua presença, pacíficos como carneiros.
Pelas costas, lobos devoradores de homens.
Aquele que te conta histórias dos outros,
Também fala de ti a eles.

CONTO 5

Alguns sufis se reuniram para fazer uma viagem e partilhar as alegrias e dissabores do caminho. Manifestei o desejo de juntar-me a eles, mas não me aceitaram. Eu disse: "Está longe da generosidade e da ética dos grandes desprezar a companhia dos humildes e recusar

GULISTAN / O JARDIM DAS ROSAS, DE SAADI DE SHIRAZ

os benefícios que tais pessoas poderiam trazer. Além disso, sou forte e ativo. Sei que poderia ajudá-los e não seria uma carga para vós".

Um deles declarou: "Não tomes nossa atitude como uma afronta, pois ela se deve ao fato de que, recentemente, um ladrão se juntou a nós, disfarçado de homem piedoso. Como se vestia como um dervixe, não suspeitamos de suas más intenções e o aceitamos:

"Não é possível saber

O que se oculta sob o manto de um sufi

Como quem, lendo uma carta, conhece seu conteúdo.

A vestimenta do sufi é um manto de lã.

Isto convém ao mundo externo.

Esforça-te em fazer o bem e usa o que quiseres,

Uma coroa na cabeça ou uma bandeira nos ombros.[44]

Renuncia ao mundo, aos desejos carnais e à cobiça.

Não é a santidade a renúncia aos ricos adornos?

Um guerreiro deve usar uma malha de ferro.

Qual a utilidade das armas de guerra

Para alguém efeminado?

"Um dia", continuou ele, "avançamos até o anoitecer e passamos a noite sob os muros de um forte. Nosso novo companheiro – um ladrão bem deselegante, na verdade – pegou um de nossos cântaros dizendo que ia fazer suas abluções quando, de fato, saía para roubar.

---

44. Alguns dervixes usam um turbante chamado *taj* ou "coroa", e carregam uma bandeira quando mendigam.

"Se um único membro age sem sabedoria
Todos do clã perderão o direito às montanhas e à lua.
Um único homem ainda surdo e cego, e o coração dos sábios sofrerá.

GULISTAN / O JARDIM DAS ROSAS, DE SAADI DE SHIRAZ

"As pessoas indignas que usam a veste de lã (*suf*),
Fazem do véu da Caaba o manto de um asno.[45]

"Assim que se viu sozinho, ele roubou um pequeno cofre. Ao amanhecer já estava longe, mas nós fomos presos e enviados ao calabouço do forte. Depois desse incidente, juramos não autorizar mais ninguém a viajar conosco".

E renunciaram ao mundo, tomando o caminho do isolamento,
Tendo como palavra de ordem:
"A segurança está na unidade".
Se um único membro age sem sabedoria
Todos do clã perderão o direito às montanhas e à lua.
Nunca viste, no pasto,
Um único boi atrair todo o rebanho da vila?

Eu disse: "Graças sejam dadas a Deus, o Glorificado, o Exaltado. Não fui decepcionado em minhas esperanças de benefícios, pois se aparentemente não sou um de vós, por outro lado beneficiei-me do contato convosco e aprendi uma lição que me será útil por toda a vida".

Um único homem ainda surdo e cego,
E o coração dos sábios sofrerá,
Como se um cão imundo fosse atirado
Em uma cisterna de água de rosas.

---

45. O manto remendado do dervixe (*hirqa*) é aqui comparado ao tecido que cobre a Caaba em Meca; em decorrência, o hipócrita que usa a veste dos fiéis degrada a própria fé.

LIVRO II - DA ÉTICA DOS DERVIXES

CONTO 6

Um asceta estava de visita a um rei. Durante o jantar, comeu menos do que queria e ficou mais tempo mergulhado em sua prece do que era seu costume, a fim de que a corte tivesse uma boa opinião de sua devoção.

Ó nômade, receio que não chegues à Caaba,
Pois o caminho que segues leva ao Turquestão!

De volta à casa, ordenou que lhe servissem comida. Seu filho, jovem de espírito perspicaz, perguntou-lhe: "Pai, achei que tivesses participado do banquete do sultão. Não comeste?" Ele respondeu: "Foi proposital que nada tenha comido na presença deles". O filho respondeu: "Então, deves repetir tuas preces, pois também nada fizeste para servir ao teu objetivo na vida futura".

Ó tu, que expões virtudes em tuas mãos abertas
E dissimulas os vícios sob as vestes!
No dia em que tiveres necessidade,
O que pensas comprar, homem cheio de ilusão,
Com dinheiro falso?

CONTO 7

Lembro-me que na infância eu tinha uma forte inclinação religiosa e desejava cumprir atos de piedade e abstinência. Uma vez, passei a noite toda em recitação. Em nenhum momento fechei os olhos. Tinha o Corão sobre os joelhos enquanto todos dormiam à minha volta. Disse então a meu pai: "Ninguém ergue a cabeça para rezar. Dormem tão profundamente que se diria que estão mortos".

[91]

GULISTAN / O JARDIM DAS ROSAS, DE SAADI DE SHIRAZ

Ele respondeu: "Meu filho, seria melhor que dormisses ao invés de encontrar defeitos nos outros".

O pretensioso só se vê a si mesmo:
Diante dos olhos, põe uma cortina de desprezo.
Se somente tivesses o olhar de Deus,
Não verias ninguém mais impotente que ti mesmo.

CONTO 8

Uma assembléia não poupava elogios a uma figura importante. O menor de seus gestos e todos os seus pensamentos eram louvados. Após refletir, este de quem se tratava ergueu a cabeça e disse:

"Sou quem sei que sou.
Aos olhos dos homens, pareço ter algum valor.
No entanto, inclino a cabeça de vergonha,
Por conhecer a corrupção de meu coração.
Admira-se o pavão por suas cores e plumagem,
Contudo, envergonha-se da vileza de suas patas".

CONTO 9

Um sufi originário do Líbano, cujo grau de iluminação tornara-o respeitado em todo o Oriente, era célebre por seus milagres. Um dia, entrou na grande mesquita de Damasco para rezar. Estava cumprindo suas abluções à beira de um tanque no meio do pátio quando do seu pé deslizou e ele caiu. Conseguiu sair dali sem muita dificuldade, mas depois da prece, um de seus discípulos veio dizer-lhe: "Estou profundamente incomodado". – "Por quê?", perguntou o san-

Livro II - Da ética dos dervixes

to homem. "Eu me lembro", respondeu o discípulo, "que um dia caminhaste sobre o mar e teus pés nem mesmo se molharam, e eis que hoje quase te afogas num tanque. Como é possível?"

Depois de refletir, o sábio respondeu: "Não ouviste o que disse nosso Senhor, o Profeta? 'Há um tempo em que ninguém, nem mesmo um anjo, pode ter acesso a mim, por causa de minha intimidade com Deus', mas ele não disse 'sempre'. Às vezes, ele não queria saber de Gabriel ou Miguel, ao passo que, em outros momentos, contentava-se com a companhia de Hafza e Zainab.[46] Certamente, as visões dos santos emanam, em parte, das manifestações de Deus, e em parte de sua não-manifestação".

Ele Se manifesta, depois escapa ao olhar.

Tu Te mostras, depois Te ocultas,

Fazendo crescer, assim, nosso desejo por Ti.

Alguém perguntou a Jacó, que perdera seu filho José:

"Espírito iluminado, velho sábio,

Do Egito sentiste o cheiro de sua túnica,

Por que não o viste no poço de Canaã?"

Ele respondeu: "Meu estado é semelhante ao relâmpago,

Às vezes, posso ver o que os outros não vêem,

Às vezes, tudo o que posso ver

É aquilo para o qual sou cego".

Se um dervixe permanecesse em estado de êxtase,

Faria-se em pedaços nos dois mundos.

---

46. São os nomes de duas das esposas do Profeta Muhammad.

GULISTAN / O JARDIM DAS ROSAS, DE SAADI DE SHIRAZ

CONTO 10

Uma vez, pronunciei algumas palavras na congregação da grande mesquita de Baalbek.[47] Fiquei muito triste em ver que todos permaneciam apáticos, indiferentes ao meu inflamado discurso, e que ninguém prestava atenção aos valores interiores, preferindo a pompa e as pretensões exteriores. Considerei deplorável perder tempo com pessoas tão limitadas, era como mostrar um espelho a um cego. Mesmo assim, estava muito entusiasmado e minhas palavras fluíam como uma torrente. Comentei, então, o versículo do Corão – "Ele está mais perto de nós que nossa veia jugular."[48] –, dizendo:

"O Amigo está mais perto de mim do que eu mesmo.
O problema é que estou longe d'Ele.
O que fazer? A quem posso dizer que Ele está ao meu lado,
E que estou separado d'Ele?"

O poder das palavras subia-me à cabeça e eu as saboreava plenamente. Assim que pronunciei as últimas sílabas, um adepto que por ali passava ouviu-as e lançou tamanho grito de aprovação que aquela congregação de cabeças ocas voltou à vida, obedecendo ao novo impulso, embora sem saber qual a sua direção. Eu disse:

---

47. Baalbek, hoje em ruínas, chamada Heliópolis pelos gregos, era uma importante cidade do Líbano, na rota entre Tiro e Palmyra, famosa pela beleza e magnitude de seus templos.

48. *Corão*, L, 16. "Criamos o homem. Sabemos o que é aquilo a que a sua alma o incita com sedução, pois Nós estamos mais perto dele do que a sua veia jugular."

[94]

LIVRO II - DA ÉTICA DOS DERVIXES

"Os justos de Deus, os iluminados que estão longe,
Estão próximos,
E aqueles que não têm o conhecimento e estão próximos
Encontram-se a mil léguas.
Quando os ouvintes não seguem o fio do discurso,
Não espereis um esforço mental do orador.
Mostrai vossa boa vontade de escutar,
E compreendei que o orador pode
Extrair sua força de vós mesmos".

CONTO I I

Uma noite, no deserto de Meca, não pude continuar meu caminho, tão cansado estava. Deitei a cabeça no chão e disse ao guardião do camelo: "Vela por mim".

Até onde pode ir o viajante com pés doloridos,
Se mesmo o resistente camelo bactriano se fatiga?
No tempo em que um homem gordo tornar-se-ia magro,
Um homem descarnado morreria sob a provação da fadiga.

O cameleiro disse: "Ó irmão, Meca está à nossa frente e os ladrões logo atrás. Se segues teu caminho, tua vida será salva; se dormes, tu a perderás. Pois está dito:

"É agradável dormir sob a mimosa,
No regaço do deserto,
Mas aquele que o faz
Durante a caminhada noturna
Deve dizer adeus à vida".

[95]

GULISTAN / O JARDIM DAS ROSAS, DE SAADI DE SHIRAZ

CONTO 12

Sentado à beira-mar, vi um sábio que havia sido ferido por um leopardo. Nenhum remédio aliviava sua dor. No entanto, durante suas longas jornadas de sofrimento, não parava de agradecer a Deus, o Altíssimo e Glorioso. Perguntaram-lhe: "Por quais benefícios ofereces estes agradecimentos?" Ele respondeu: "Agradeço porque – Deus seja louvado – sofro de aflição, e não de pecado".

Estivesse eu prestes a sofrer morte cruel
Nas mãos do Amigo,
Não poderia dizer que, nesse momento,
Eu lamentaria por perder minha vida.
Apenas diria: "Que pecado foi cometido por mim,
Teu escravo, para não estares satisfeito comigo?"
Este seria meu único lamento.

CONTO 13

Para atender a uma necessidade urgente, um dervixe roubou uma coberta da casa de outro dervixe. O juiz ordenou que sua mão direita fosse cortada, sendo esta a pena prevista para o roubo pela lei do Corão. O dono da coberta pleiteou a seu favor: "Eu o perdoei". O juiz respondeu: "Teu perdão não me forçará a julgar contra a lei de Deus". – "Tens razão", respondeu o homem, "mas não é lícito requerer uma pena contra este homem que roubou segundo sua convicção religiosa, pois para ele tal coisa não tem proprietário e todo objeto que se encontra nas mãos dos dervixes está à disposição dos pobres". O juiz, impressionado com essa lógica, mandou soltar o dervixe. Mas fez a ele a seguinte reprimenda: "Tornou-se tão

LIVRO II - DA ÉTICA DOS DERVIXES

difícil viver no mundo, a ponto de não poderes roubar um outro que não teu amigo?" O dervixe respondeu: "Não ouviste dizer: 'Varre a casa de teus inimigos, mas não batas à porta de teus amigos'?"

> Diante da calamidade,
> Não te deixes desesperar.
> Desnuda teus inimigos,
> E contenta-te em tirar o casaco de teus amigos.

CONTO 14

Um rei perguntou a um sábio: "Nunca ocorre de pensares em mim?" O sábio respondeu: "Sim, cada vez que me esqueço do Todo-Poderoso, lembro-me de ti".

> Corre em todas as direções
> Aquele que foi apartado de Sua casa.
> Aquele que Ele chama
> Não se precipita à porta de ninguém.

CONTO 15

Um sábio viu, em sonho, um rei no paraíso e um dervixe no inferno. Perguntou: "O que pode exatamente significar a elevação do rei e a queda do dervixe? Costumava pensar que seus destinos eram absolutamente opostos..." Ouviu então uma voz que dizia: "O rei entrou no paraíso por seu respeito aos dervixes. Seu desprezo pelos reis conduziu o dervixe ao inferno".

> O manto de remendos e o rosário
> De nada te servirão,
> A menos que teus atos sejam puros.

GULISTAN / O JARDIM DAS ROSAS, DE SAADI DE SHIRAZ

Usar o gorro não fará de ti um dervixe.
Se tens as qualidades do dervixe,
Podes usar até mesmo um gorro tártaro.

CONTO 16

Um dervixe, pés e cabeça nus, saiu de Kufa[49] e juntou-se à nossa caravana que partia em peregrinação ao Hejaz. Vi que estava sem um vintém, mas continuava avançando, mais atrás, como se estivesse refletindo. E caminhando, pronunciou estas palavras:

"Não ponho fardo sobre o camelo
Nem a carga do camelo está sobre meus ombros.
Nada lamento e não estou sob o jugo de ninguém.
Não me aflijo pelo presente, passado ou futuro.
Respiro livremente e vivo em plenitude a vida".

Um mercador montado num camelo aconselhou-o a voltar, pois correria o risco de perecer com a provação e a falta de comida. O dervixe não lhe deu atenção e continuou a caminhada. Quando chegamos ao oásis de Beni Mahmud, o mercador morreu. O dervixe, ao lado de seu caixão, disse: "Não estou morto pela provação, mas tu, sobre teu forte camelo, pereceste".

Ao longo de toda uma noite,
Um homem chorava à cabeceira de um doente.
Quando o dia nasceu, o visitante estava morto
E o paciente vivo.

---

49. Cidade próxima a Bagdá, fundada pelo califa Omar, em 17 d. H.

[98]

LIVRO II - DA ÉTICA DOS DERVIXES

Muitos cavalos de patas ligeiras
Tombaram de cansaço,
Enquanto o burrico coxo
Chegava vivo ao fim da viagem.
Homens sãos e vigorosos encheram as tumbas,
Enquanto os enfermos sobreviveram.

CONTO 17

Um louco era procurado pelo rei. O idiota teve esta idéia: "Vou tomar um remédio para que o rei pense que estou fraco e pálido após minhas devoções e fique comovido!" Tomou a droga e morreu, pois era veneno.

O que eu tomava por um pistache,
Perfeitamente são, até o miolo,
Era de fato uma cebola:
Uma pele recobrindo a outra.
Os adoradores que voltam a face para o mundo,
Dão as costas à Qibla.[50]
Quando buscas o mundo, não O buscas.
És um hipócrita quando te nomeias servidor de Deus,
O verdadeiro crente conhece somente a Ele.

CONTO 18

Na Grécia, uma caravana foi atacada por ladrões, que roubaram incalculáveis riquezas. Em vão, os mercadores puseram-se a gemer e a implorar auxílio a Deus e ao Profeta.

---

50. A direção de Meca, para a qual o muçulmano deve voltar-se durante a oração, onde quer que esteja ao rezar.

GULISTAN / O JARDIM DAS ROSAS, DE SAADI DE SHIRAZ

Para o vitorioso ladrão de alma negra,
O que importa o sofrimento da caravana?

O filósofo Luqman[51] fazia parte da caravana e um dos companheiros de estrada disse-lhe: "Exorta-os com sábias palavras e reprimendas; talvez consigamos recuperar parte de nossos bens. Seria uma pena perder tal fortuna". Luqman respondeu: "Seria uma pena desperdiçar palavras sábias com tais homens".

Quando a ferrugem já corroeu o ferro,
É preciso mais que um mero polimento para limpá-lo.
Reprimendas e sabedoria têm tanto efeito sobre corações negros
Quanto um prego sobre uma pedra.
Nos dias de prosperidade, lembra-te dos pobres;
Ir em seu auxílio é evitar o infortúnio.
Quando alguém te pede uma moeda, dá-lhe,
Ou ele a tomará à força como um tirano.

CONTO 19

Meu venerado mentor, o sheikh Abu al Faraj Shamsuddin bin Jauzi[52] – a paz do Senhor esteja com ele – sempre me aconselhava a

---

51. Filósofo e fabulista sobre cuja identidade se especula. O capítulo 31 do *Corão* leva seu nome. Para alguns, seria um primo de Jó, ou ainda sobrinho-neto de Abraão. Outros tomam-no por um escravo etíope, liberto por seu mestre em reconhecimento a sua fidelidade. Seria, ainda, aquele conhecido pelos gregos como Esopo, e teria vivido nos tempos de Davi, sendo contemporâneo a Jonas. Outra possibilidade é a de ser Luqman de Sarkhas, um dos 'loucos sábios' companheiros de Abu Said Abu'l Kheir, sheikh de Mahnah.

52. Preceptor de Saadi, filho de um eminente sábio e poeta; sua morte data de 597 d. H.

[100]

LIVRO II - DA ÉTICA DOS DERVIXES

abandonar o gosto pelo canto e a entregar-me à contemplação solitária. Eu estava em plena força da juventude, arrebatado pelo desejo sensual e, a despeito de minha vontade, seguia um caminho contrário ao indicado por meu mestre. Eu gostava de ouvir música e canto em companhia dos dervixes. Quando me lembrava dos conselhos do sheikh, dizia a mim mesmo:

> "O próprio cádi,[53] se estivesse aqui,
> Bateria palmas ao ritmo da música.
> Até o mais severo reprovador do vinho
> Desculparia os que estão embriagados".

Uma noite, porém, eu me encontrava entre as pessoas sentadas ao redor de um cantor:

> Dir-se-ia que as notas desafinadas de seu canto
> Poderiam fazer explodir a veia jugular.
> Era pior de se ouvir que a notícia da morte de um pai.
> Ora as pessoas tampavam os ouvidos,
> Ora punham o dedo sobre os lábios e pediam silêncio.
> É a doçura que nos convida a ouvir canções,
> Mas com aquele canto, o silêncio é que é doçura.
> No auditório, não se vê ninguém contente,
> Salvo quando ele está de partida.
> Quando ouvi as notas daquela lira,
> Quis dizer a meu anfitrião:
> "Pelo amor de Deus, põe algodão em meus ouvidos,
> Ou mostra-me a porta para que eu possa sair".

---

53. Juiz, entre os muçulmanos.

[*101*]

GULISTAN / O JARDIM DAS ROSAS, DE SAADI DE SHIRAZ

No entanto, em respeito aos outros, permaneci em silêncio como eles e, à custa de muito esforço, passei toda a noite ali, até que a aurora me libertou. Então, eu disse:

"O muezim chama para a prece em hora imprópria.
Não sabe quanto da noite já escoou.
Pergunta às minhas pálpebras a duração da noite,
Pois sequer uma vez o sono visitou meus olhos".

De manhã, tirei o turbante e coloquei-o diante do cantor, com uma moeda de ouro. Depois lhe agradeci. Meus amigos, espantados com minha generosidade, puseram-se a rir disfarçadamente. Um deles reprovou-me: "O que acabas de fazer não foi ditado pela sabedoria. Que idéia, dar o turbante de um homem de santidade e saber a um cantor, e uma moeda de ouro a alguém que nunca teve sequer uma de prata na mão, ou um filete de ouro incrustado em seu tamborim!

"Um cantor – que o céu o mantenha afastado deste próspero lar –
Que nunca se viu duas vezes no mesmo lugar,
Tinha uma voz tal que, assim que dela se servia,
As pessoas ficavam de cabelos arrepiados,
E os pássaros, aterrorizados, voavam do pórtico.
Fazia-nos perder a cabeça
E acabou por arrebentar a própria garganta".

Eu respondi: "É melhor deter tuas reprimendas, pois enxerguei as notáveis qualidades deste homem". – "Dize-me, quais são?", suplicou meu amigo, "a fim de que eu possa ganhar teu favor com presentes como este e obter o perdão por minha leviandade". Respondi: "Meu venerado mestre aconselhou-me repetidas vezes a renunciar à música e ao canto, mas até agora, eu não havia considerado

LIVRO II - DA ÉTICA DOS DERVIXES

seus conselhos. Todavia, a sorte trouxe-me aqui ontem à noite e, graças a este cantor, arrependi-me e fiz voto de jamais me aproximar do canto e da música enquanto viver".

Uma boa voz saindo da garganta
E uma boca com doces lábios
Alegram o coração, cantor ou não.
Porém, as mais belas odes de Ushak,
De Nuhawand e de Iraq[54] são desagradáveis
Se cantadas por uma voz desagradável.

CONTO 20

Perguntaram a Luqman: "Com quem aprendeste as boas maneiras?" Ele respondeu: "Com aqueles que tinham más maneiras. Quando estava em sua companhia, via-os fazer tudo de repreensível, e evitava agir como eles".

Mesmo a palavra que se diz brincando,
Consiste em lição para o homem alerta.
Cem capítulos de sabedoria lidos a um tolo,
Soam a seus ouvidos como brincadeiras.

CONTO 21

Contam que havia um homem que costumava comer exageradamente à noite para, em seguida, ficar em pé, rezando até o

---

54. Na edição de Edward Eastwick: "Ushak, Isfahan e Hejaz, todos combinados, são desagradáveis..."; a nota esclarece que são três modos musicais, cuja execução, diz Saadi, distingue o bom e o mau músico.

[*103*]

GULISTAN / O JARDIM DAS ROSAS, DE SAADI DE SHIRAZ

amanhecer. Ouvindo isso, um sábio observou: "Se esse homem comesse só a metade de um pão e depois dormisse, ele seria melhor do que é".

Evita o excesso de alimento
Para obter a luz do conhecimento.
Estás vazio de sabedoria
Porque estás repleto de comida.

CONTO 22

Deus, em Sua misericórdia, pôs a lâmpada da graça no caminho de um homem perdido, de modo que ele ingressou na confraria daqueles que buscam conhecê-Lo. Por sua influência e exemplo, abandonou os maus hábitos e recusou os prazeres da carne. Pessoas maldosas murmuravam entre si: "Ele não mudou, logo voltará aos velhos hábitos".

O verdadeiro arrependimento
Pode salvar-te da cólera divina,
Mas não podes escapar às más línguas.

O novo discípulo feriu-se com as palavras dos difamadores e foi queixar-se a seu sheikh: "Estou magoado pelo veneno das más línguas". O sheikh chorou e disse: "Deves sentir-te agradecido por seres melhor do que eles te consideram.

"Dizes: 'Homens invejosos e perversos procuram meus defeitos,
Desejam-me o mal e espreitam para derramar meu sangue'.
Mais vale que sejas bom, e os homens falem de ti,
Do que se fosses perverso, e eles te dirigissem louvores".

[104]

LIVRO II - DA ÉTICA DOS DERVIXES

Quanto a mim, vejo que os homens piedosos e bons louvam-me demais; por isso, temo que minha bondade esteja em perigo.

Se eu sempre fizesse o que sei ser sábio,
Teria bom caráter e seria piedoso.
Ainda que me esconda de meus vizinhos,
Deus bem sabe o que trago no coração.
Mantemo-nos afastados das pessoas
Para esconder de seus olhos nossas faltas.
Mas de que serve ocultar-nos da sociedade,
Quando o Conhecedor sabe o que está oculto
Tanto quanto o que está manifesto?

CONTO 23

Lamentei-me a meu sheikh de que alguém havia criticado injustamente minhas atividades. Ele respondeu: "Envergonha-o com tua bondade".

Os invejosos não podem maldizer-te,
Se vigias tua conduta e devoção.
Quando a lira está bem afinada,
Um afinador não a torna mais exata.

CONTO 24

Perguntaram a um dos anciãos de Damasco: "Qual a verdadeira natureza do sufismo?" Ele respondeu: "Antigamente, os sufis eram um grupo de homens universais, preocupados exteriormente com as coisas perecíveis, mas satisfeitos em seu interior. Agora, estão exteriormente satisfeitos e interiormente preocupados".

GULISTAN / O JARDIM DAS ROSAS, DE SAADI DE SHIRAZ

Quando teu coração vagueia a todo instante,
Não é na solidão que encontrarás a pureza.
Ainda que possuas riquezas, posição e negócios,
És um recluso – se teu coração está com Deus.

CONTO 25

Lembro-me que uma vez, após termos viajado toda a noite em caravana, decidimos acampar perto de um bosque. No entanto, um de nossos companheiros, um sufi, deu um grito e pôs-se a andar em direção ao deserto, sem haver descansado. Na manhã seguinte, perguntei-lhe a razão daquela conduta. Ele respondeu: "Ouvi o canto do rouxinol nas árvores, das perdizes nas montanhas, das rãs na água e dos animais na estepe, e soube que não estaria em harmonia, como homem, se dormisse enquanto criaturas inferiores entoavam seu louvor a Deus".

Esta manhã, um pássaro cantou,
Arrebatando minha razão, meu equilíbrio, meus sentidos.
Por acaso, um de meus amigos ouviu-me, e declarou:
"Não esperava que te deixasses distrair
Pelo canto de um simples pássaro".
Respondi: "Não condiz com minha humanidade
Silenciar-me, quando os pássaros louvam a Deus".

CONTO 26

Certa vez, eu viajava para o Hejaz com um grupo de jovens e devotos companheiros. Durante a viagem, eles recitavam versos místicos. Um outro viajante criticou suas atividades e recusou-se a honrar

[106]

LIVRO II - DA ÉTICA DOS DERVIXES

ou apreciar suas aspirações místicas. Quando nos aproximávamos do oásis Beni Hilal, apareceu um árabe, cantando uma canção que teria seduzido os próprios pássaros do firmamento. O camelo do homem rabugento pôs-se a dançar, atirou longe seu ocupante e embrenhou-se no deserto. Comentei: "Caro senhor, permaneces insensível, mas este canto sensibiliza até um animal".

Sabes o que me disse
O pássaro cantor da manhã?
"Que espécie de homem és tu,
Inconsciente do amor?"
Um camelo sente êxtase e júbilo,
Ao ouvir a canção árabe.
Se tal canto não te apraz,
Tu és um animal.
Quando o vento sopra nos pastos,
Os ramos se inclinam,
Mas não a fria pedra.
Tudo o que vês O exalta,
O coração atento bem o sabe.
Não apenas a flor da roseira
Rende-Lhe graças,
Cada espinho louva-O também.

CONTO 27

Um rei árabe chegou ao fim de sua vida sem deixar um sucessor, porém, antes de morrer, manifestou o desejo de que o trono coubesse à primeira pessoa que, pela manhã, transpusesse os portões da cidade. Ora, sucedeu que o primeiro a entrar foi um mendigo que havia

[*107*]

GULISTAN / O JARDIM DAS ROSAS, DE SAADI DE SHIRAZ

levado uma vida de privações, contentando-se com o que os outros abandonavam e costurando retalhos em seu manto já remendado. Apesar disso, os ministros do rei cumpriram sua última vontade e entregaram as chaves do tesouro e da cidadela ao mendigo. Durante algum tempo, ele governou o país, até o dia em que alguns nobres quebraram seus votos de obediência, e unindo-se a um rei vizinho, armaram seus soldados contra o rei-dervixe. Diante desta rebelião e da perda de território, ele desencorajou-se e caiu em profunda tristeza. Pouco depois, no entanto, um amigo também dervixe voltou de viagem e, testemunhando a promoção do antigo companheiro, disse-lhe: "Dou graças a Deus que tenhas assim enobrecido e a sorte te sorrido. Tua ascensão nasceu do espinho e o espinho saiu do pé, e assim alcançaste esta grandeza. Companheiro, nenhuma dificuldade pode perturbar-te!

"Às vezes o broto floresce,
Às vezes murcha.
Ora a árvore é verde,
Ora marrom e seca".

O rei-dervixe respondeu: "Caro companheiro, preciso mais de condolências que de felicitações. Na última vez que nos encontramos, eu só me preocupava com o pão de cada dia. Agora, tenho todas as preocupações do mundo sobre os ombros".

Privados dos benefícios do mundo, sofremos.
Se nossos desejos são satisfeitos, contudo,
Somos acorrentados pelo apego às coisas.
As alegrias deste mundo
São uma provação embaraçosa,

LIVRO II - DA ÉTICA DOS DERVIXES

Pois tanto quanto sua falta,

Sua presença provoca aflição.

Se te acontece de ser rico,

Escolhe apenas estares satisfeito,

Pois é a única verdadeira riqueza.

Se um homem rico te cobre de ouro,

Aprecia bem seu valor real.

Já não ouvi os sábios dizerem

Que a paciência de um dervixe

Vale mais que a munificência do rico?

Se o rei Bahram[55] assar um cervo para convidados,

A brecha em sua bolsa sem fundo é nada,

Se comparada à que faria na bolsa do dervixe

Uma simples pomba assada.

CONTO 28

Um homem era amigo do tesoureiro da corte, a quem não via há muito tempo. Alguém lhe disse: "Há muito tempo não o vês, não é?" Ele respondeu: "Não tenho vontade de vê-lo". Encontrava-se entre os presentes um dos servidores do tesoureiro, que lhe perguntou: "O que fez ele para que não desejes vê-lo?" Ele respondeu: "Nada absolutamente, acontece que só se vê um amigo tesoureiro quando ele perde o cargo".

Quando se possui autoridade e importância,

Esquecem-se os amigos.

---

55. Bahram V, também chamado Bahram Gur; rei sassânida que governou a Pérsia de 430 a 438 d. C.

[*109*]

GULISTAN / O JARDIM DAS ROSAS, DE SAADI DE SHIRAZ

Quando se está na decadência e na miséria,
Procura-se sua simpatia.

CONTO 29

Um homem venerável, não podendo conter-se, deixou escapar um flato na presença de seus amigos. Ele disse: "Meus amigos, não tive o menor controle sobre o que acabo de fazer e, portanto, isto não me pode ser imputado como uma falta. Além disso, aliviou-me. Assim mesmo, apresento-vos minhas desculpas".

Ó sábio, o estômago é a prisão do ar.
Um homem sensato não o retém.
Quando o ar está nas entranhas, expulsa-o.
Não imponhas a teu espírito este fardo.
Se um convidado intratável e hostil levantar-se,
Não o impeças de partir.

CONTO 30

Abd ar Rahman, apelidado Abu Hurairah[56] – que Deus o abençoe – tinha por hábito aparecer todos os dias na casa do Profeta para servi-lo. Um dia, o Profeta lhe disse: "Ó Abù Hurairah, se vieres a cada dois dias, minha estima por ti aumentará".

Um sábio disse: "Nunca ouvi dizer que o Sol fosse tido em alta conta apesar de seus benefícios. Será porque o vemos todos os dias? Só o amamos no inverno, quando ele se esconde atrás das nuvens".

---

56. Literalmente: "pai do pequeno gato"; um dos discípulos e companheiros do Profeta, cujo afeto por um gato angariou-lhe esse apelido, dado pelo próprio Muhammad.

[110]

LIVRO II - DA ÉTICA DOS DERVIXES

Visitar os amigos não é uma falta,
Até que se vejam obrigados a dizer "basta".
Se não te queres corrigir,
Receberás mal a reprimenda de outrem.

CONTO 31

Uma vez, em Damasco, cansado da conversa de meus amigos, parti para o deserto de Jerusalém e fiz-me irmão dos animais selvagens. Foi nesta ocasião que fui capturado pelos cruzados e obrigado a escavar fortificações na Síria com um grupo de judeus. Um dia, aconteceu de passar por ali um homem importante de Aleppo, que me conhecia. Vendo-me, perguntou o que ocorrera para que eu estivesse em tal situação. Respondi:

"Retirei-me do gênero humano
Nas montanhas do deserto,
A fim de só associar-me a Deus.
Vê qual a minha sorte agora,
Acorrentado a um bando de seres inumanos.
Mais vale o pé acorrentado na presença de amigos
Que viver num jardim com desconhecidos".

O mercador apiedou-se de mim, resgatou-me por dez moedas de ouro e levou-me consigo a Aleppo. Mais tarde, deu-me sua filha em casamento com um dote de cem moedas de ouro. A filha não possuía bom caráter, era dada a brigas e, passado algum tempo, afiou sua língua contra mim, amargando-me a vida.

O inferno nesta terra
É uma mulher malevolente
Na casa de um homem bom.

[111]

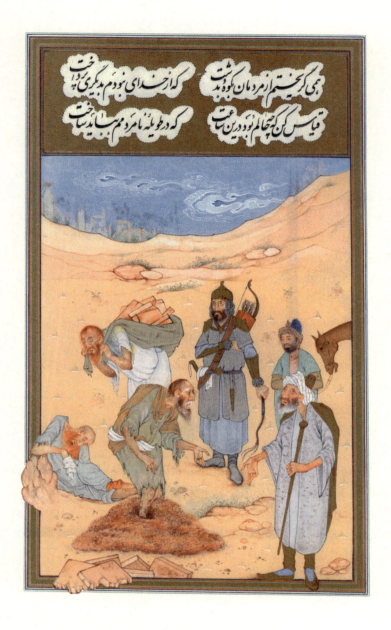

"Mais vale o pé acorrentado na presença de amigos
Que viver num jardim com desconhecidos."

Livro II - Da ética dos dervixes

Guarda-te das más companhias.

Ó Senhor, preserva-nos do fogo!

Certo dia, ela me disse com sarcasmo: "Não és aquele que meu pai comprou por dez moedas de ouro?" Eu repliquei: "Sim, ele libertou-me com dez moedas, mas vendeu-me como escravo por cem".

Ouvi falar de um homem
Que só salvou um carneiro dos dentes do lobo
Para, uma noite, vir a cortar-lhe a garganta,
O carneiro, em seu último sopro, lamentou:
"Livraste-me das garras de um lobo,
Mas se olho atentamente, porém,
Para mim, és tu o lobo".

CONTO 32

Um rei perguntou a um homem religioso que tinha uma grande família: "Como passas teus dias?" Ele respondeu: "À noite, rezando; de manhã, suplicando; e o resto do dia, a perguntar-me como sustentar minha família".

A resposta do dervixe foi apreciada pelo rei, que deu ordens para que fornecessem o que ele necessitava, de modo a aliviar sua mente de preocupações.

Ó tu, cujos tornozelos estão presos
Pelas inquietudes de se ter uma família!
Não esperes liberar-te das tribulações do mundo.
As crianças, o pão, a roupa e as dívidas,
Te impedirão de atingir uma qualidade celeste.
Todo o dia, juro passar a noite em devoção.

[*113*]

GULISTAN / O JARDIM DAS ROSAS, DE SAADI DE SHIRAZ

À noite, quando me preparo para rezar,
Inquieto-me pelo que terão meus filhos
Para comer no dia seguinte.

CONTO 33

Um devoto vivia num pequeno bosque e alimentava-se de folhas. O rei foi visitá-lo e ofereceu-lhe uma casa na cidade, dizendo:
"Essa casa facilitará tuas devoções e, ao mesmo tempo, outros poderão beneficiar-se de tua sabedoria e de teus atos piedosos". O recluso não gostou da oferta e recusou-a. Um dos cavaleiros do séqüito
do rei disse-lhe: "Em consideração ao rei, poderias ao menos visitar
a cidade e olhar a casa. Se depois de alguns dias achares que há algo
de impuro nela, estarás livre para fazer o que bem entenderes". Por
fim, o recluso assentiu em visitar a cidade. Instalaram-no em um dos
pavilhões de verão do rei, em meio a uma paisagem maravilhosa e
absoluta tranqüilidade.

Flores vermelhas como as faces da beleza
E jacintos em tranças amorosas,
Ainda temerosos do frio invernal,
Eram como o recém-nascido,
Virgens de todo alimento.
As romãs, inclinando a verde ramagem,
Pareciam chamas a brotar
Dos braços da árvore.

Logo, o rei enviou-lhe uma deslumbrante concubina.

Aquele pedaço da lua, aliciadora de devotos,
Figura com rosto de anjo e matizes de pavão,

[114]

LIVRO II - DA ÉTICA DOS DERVIXES

Cativou à primeira vista o sábio,
Que perdeu todo o controle.

Mais tarde, o rei enviou-lhe um belo e encantador pajem.

Em sua presença, os homens morriam de sede;
O escanção os via, mas recusava-se a trazer água.
Assim como uma gota de água não alivia
O ardente desejo daquele que está sedento,
Assim também, sua mera contemplação
Não se fazia suficiente.

O eremita começava agora a desejar as comidas raras e os ricos mantos, e a lançar olhares às escravas de grande beleza. Como dizem os sábios:

Os sorrisos dos sedutores
São cadeias para a razão
E armadilhas para a ave sagaz.
À religião, dei minha compreensão.
A ti, dei meu coração.
Hoje sou a ave sagaz,
E tu és a armadilha.

O dervixe perdera seus ricos dias de tranqüilidade.

Sejam juízes, santos ou discípulos,
Puros de coração e de palavra,
Quando entram nesse mundo contaminado,
Aderem-se tão solidamente quanto moscas no mel.

Um dia, o rei recebeu-o em audiência e ficou satisfeito ao ver que sua aparência havia mudado. Engordara, usava finos mantos e

[*115*]

GULISTAN / O JARDIM DAS ROSAS, DE SAADI DE SHIRAZ

estava acompanhado de um pajem que o abanava com uma pena de pavão. Eles distraíram-se com diversos assuntos e, finalmente, o rei lhe disse: "Há no mundo dois tipos de gente que aprecio - os instruídos e os piedosos". O *wasir*, filósofo por mérito próprio, respondeu: "Senhor, vossa amizade por eles coloca-vos na obrigação de serdes caridoso, quer dizer, deveis dar ouro aos homens cultos para que outros possam estudar, e nada aos piedosos, para que não fracassem em sua devoção".

Um homem piedoso não necessita ouro nem prata.
Se ele os aceita, procura outro mais piedoso.
Uma mulher de grande beleza e porte elegante
Não precisa de enfeites, nem anéis preciosos.
Um dervixe de vida modesta e pura
Não precisa do pão da caridade
Ou dos frutos da mendicância.
Um homem puro, que busca e ama a Deus,
É um homem devoto, sem que deva recorrer
À caridade ou à mendicância.
Um corpo magnífico e um rosto encantador
Não necessitam jóias para brilhar.
Se possuo tudo isto e desejo mais,
É justo que me chamem de ímpio.

CONTO 34

Confirmando o conto anterior, há uma história do rei que, diante de um problema espinhoso, declarou: "Se este caso for resolvido

LIVRO II - DA ÉTICA DOS DERVIXES

a meu contento, darei muitos *dirhams*[57] aos homens piedosos, em sinal de reconhecimento". Quando seu desejo se realizou, ele cumpriu a promessa, dando um saco de dinheiro a um fiel servidor para que o distribuísse. Este último, que era um homem sensato, andou um pouco por toda parte durante o dia. Então voltou, beijou as insígnias do trono e depositou o dinheiro diante do rei, dizendo-lhe: "Embora tenha procurado em toda parte, não encontrei homens devotos". O rei respondeu: "Certamente não falas sério, pois sei que há mais de quatrocentos dervixes na cidade". O servidor respondeu: "Senhor, aqueles que são autênticos dervixes não aceitarão o dinheiro, e os que o aceitarem não serão dervixes". O rei riu e disse aos cortesãos: "Embora eu tenha boa vontade para com os homens piedosos e os elogie, este rapaz impertinente os toma por inimigos e ralha porque os aprovo. Mas ele tem razão, pois não está dito que 'se um homem piedoso aceita ouro e prata, procura um mais piedoso que ele'?"

CONTO 35

Propuseram a um homem culto e de alta distinção a seguinte pergunta: "O que pensas de alguém que é sustentado pela caridade?" Ele respondeu: "Se o beneficiado aceita ajuda para obter tranqüilidade de espírito e tempo para adorar a Deus, está bem. Mas se aceita provisões apenas como fonte de vida segura, não está correto".

Os piedosos aceitam alimento para alcançar o tesouro da adoração, e não fazem da adoração um meio de obter sustento.

---

57. Moeda da Pérsia antiga

GULISTAN / O JARDIM DAS ROSAS, DE SAADI DE SHIRAZ

CONTO 36

Um dervixe entrou na casa de um homem que era a encarnação da generosidade e que estava recebendo alguns letrados. Todos diziam frases espirituosas e a conversa era muito animada. O dervixe estava cansado e faminto, pois acabava de atravessar o deserto. Um dos convidados lhe disse: "Também tu devias tomar parte em nossa conversa". O dervixe respondeu: "Dado que não sou instruído nem espirituoso como vós, devereis contentar-vos com este único verso que irei dizer". "Fala! Fala!", exclamaram eles. E o dervixe obedeceu:

"Estou faminto diante de uma mesa coberta de comida
Como um celibatário à porta da casa de banho das mulheres".

Os convidados compreenderam, enfim, seu estado de fadiga e necessidade, e serviram-lhe a comida. O anfitrião disse: "Caro amigo, espera só um instante, o cozinheiro está preparando almôndegas". O dervixe ergueu a cabeça e respondeu:

"Almôndegas em minha mesa, não!
Para um homem exausto, o pão é uma almôndega".

CONTO 37

Um discípulo disse a seu mestre: "O que devo fazer? Tanta gente vem buscar minha bênção, que todo o meu tempo é tomado por suas visitas". O mestre respondeu: "Empresta alguma coisa aos pobres e pede algo aos ricos, e não voltarão mais".

Se um mendigo fosse o chefe das forças do Islam,
Os infiéis fugiriam até a China,
De medo que ele os importunasse.

[118]

Livro II - Da ética dos dervixes

CONTO 38

O filho de um ulemá[58] disse a seu pai: "As belas frases dos pregadores não têm o menor efeito sobre mim, pois jamais os vejo seguir os preceitos que pregam.

"'Renunciai ao mundo', dizem às pessoas,
No entanto, eles mesmos juntam dinheiro e grão.
Suas frases são pronunciadas, e é tudo,
Pois não têm o menor efeito sobre quem as ouve.
Um autêntico pregador é aquele que não faz o mal,
E não alguém que diz uma coisa e faz outra.
Não está dito no Corão:
'Prescreveis aos homens para serem bons
E negligenciais vossas próprias almas'?
Um homem instruído que adora a comida
E dela se farta, perde-se a si mesmo!
Assim, quem ele poderia conduzir no bom caminho?"

O pai replicou: "Meu filho, simplesmente porque te sobreveio este pensamento fútil, não te deves desviar de teus mestres para seguir a senda do erro, nem achar que a maioria dos mestres está no erro e buscar um homem de saber impecável, e assim perder as vantagens do conhecimento. És como o cego que caiu na lama, e disse: 'Ó muçulmanos, queiram colocar uma lâmpada em meu caminho'. Uma prostituta que por ali passava replicou: 'Que farias com uma lâmpada, se não podes sequer vê-la?' Uma conferência de homens instruídos é como um bazar de mercadores de tecidos: neste,

---

58. Teólogo, entre os islamitas.

[119]

GULISTAN / O JARDIM DAS ROSAS, DE SAADI DE SHIRAZ

nada podes obter sem dinheiro vivo; naquela, só podes obter conhecimento com boa vontade.

"Ouve as palavras do sábio com os ouvidos da alma.

Não compares seus atos a suas palavras.

É inútil questionar, como o pretensioso:

'Aquele que dorme pode acordar quem está dormindo?'

Um homem deve ouvir atentamente,

Ainda que os conselhos estejam inscritos num muro.

Um homem piedoso saiu de um monastério para uma escola

E rompeu o voto sufi de comunhão e confidência.

Eu lhe perguntei: 'Qual a diferença

Entre o sábio e o devoto,

Para que prefiras o primeiro ao segundo?'

Ele disse: 'O último salva o próprio tapete do naufrágio,

Enquanto o primeiro faz todo o possível

Para salvar o náufrago que se afoga'".

CONTO 39

Um homem bêbado, tendo perdido todo o controle sobre si mesmo, estava estendido na estrada. Um devoto passou por ali e notou seu estado lastimável. O bêbado ergueu a cabeça e disse: "E quando eles passam ao lado daquilo que é vão, passam generosamente".[59]

Quando passares por alguém que pecou,

Sê misericordioso e compreensivo.

---

59. Referência à passagem corânica: "Não prestam falso testemunho e, ao passar e ouvir palavras vãs, passam dignamente" (*Corão*, XXV,72)

[*120*]

LIVRO II - DA ÉTICA DOS DERVIXES

Tu, que me consideras com aversão,
Por que não tens clemência?
Ó devoto, não desvies a cabeça ante o pecador.
Olha-o com indulgência.
Se conduzo-me de modo indecoroso,
Passa por mim com decoro.

CONTO 40

Um bando de libertinos e patifes pôs-se a maltratar alguns dervixes, e surrou impiedosamente um deles. A vítima foi queixar-se a seu sheikh, dizendo-lhe que não podia suportar tal coisa. Seu mentor respondeu: "Meu filho, o manto do dervixe é a veste da aceitação. Aquele que usa esse manto e não suporta que seus desejos não se cumpram é um farsante, e para ele o manto é ilícito".

O vasto oceano não se turba com uma pedra.
O homem inteligente que se molesta
Ainda não passa de um pequeno riacho.
Tolera a injúria com paciência,
O perdão te trará o perdão.
Ó irmão, se nosso fim é o pó,
Sê humilde como o pó,
Antes de tornar-te pó.

CONTO 41

Ouve a história da disputa entre a bandeira e a cortina, em Bagdá. A bandeira, reclamando do desconforto e da poeira da caminhada, disse: "Ambas servimos à corte real. Jamais deixei de cumprir meu

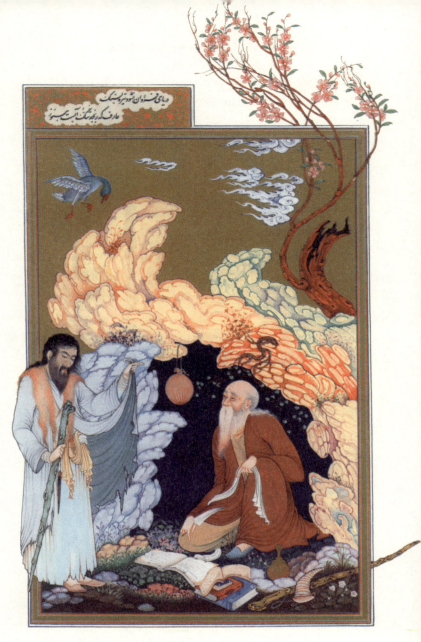

"Meu filho, o manto do dervixe é a veste da aceitação. Aquele que usa esse manto e não suporta que seus desejos não se cumpram é um farsante, e para ele o manto é ilícito."

LIVRO II - DA ÉTICA DOS DERVIXES

dever e estou sempre em marcha. A ti nunca faltou o conforto. Não conheces a batalha, o deserto, a marcha, a poeira e a fumaça. Minha haste está sempre à frente das batalhas, enquanto teu lugar é junto às belas escravas. Ficas com as concubinas perfumadas de jasmim, enquanto sou carregada por mãos da gente do séqüito, andando sem parar, sem poder passear livremente e repleta de desilusões".

A cortina respondeu: "Tenho a cabeça na soleira da porta enquanto a tua está no céu. Aquele que eleva a cabeça com pretensão é o primeiro a batê-la no chão".

Saadi é humilde e livre de toda preocupação.
Quem declarará guerra a um homem assim?

CONTO 42

Um sábio de grande experiência encontrou um homem que a ira havia posto tão completamente fora de si que espumava pela boca. Ele perguntou: "O que tem esse homem?" Responderam-lhe que alguém o havia insultado. O sábio disse então: "Este miserável patife tem força para erguer uma enorme pedra e, no entanto, não pode suportar uma única palavra".

Não te vanglories de teu punho e de tua virilidade.
Se a alma nada vale, que te importa ser homem ou mulher?
Se podes, pacifica uma boca injuriosa.
Não é viril demonstrar força surrando uma mulher.
Um homem pode partir o crânio de um elefante,
Mas não provará que é homem, se não tem hombridade.
O homem foi moldado na argila.
Se não é humilde como a argila,
Então não é um homem.

GULISTAN / O JARDIM DAS ROSAS, DE SAADI DE SHIRAZ

CONTO 43

Indagaram a um homem venerável o que eram os Irmãos da Pureza.[60] Ele respondeu: "O menor entre eles honra as vontades de seus companheiros e as coloca acima das próprias. Os sábios afirmam que um homem absorto em si mesmo não é um irmão, nem mesmo um parente".

O companheiro de viagem
Que se apressa em tomar a dianteira
Não é teu companheiro.
Não entregues o coração a quem não entregou o seu a ti.
Se teus próximos carecem de piedade e religião,
É melhor cortar qualquer relação,
Que guardá-los em tua companhia.

Lembro-me de alguém que não gostava desse poema. Criticava-o, dizendo: "No Corão, A Verdade Eterna proíbe que se rompam os laços de parentesco e ordena amar nossos familiares. O que dizes é o oposto disso". Respondi: "Cometes um erro, pois o que eu disse está de acordo com esta prescrição do Corão: 'e se insistem para que associes a Ele aquilo que ignoras, não deves obedecê-los'".[61]

---

60. Os sufis são também chamados de *Ikhvan-ussafa* ou 'Irmãos da Pureza'; esse nome, porém, passou a designar um célebre grupo literário e filosófico de Bagdá que produziu a mais famosa enciclopédia de sua época.

61. *Corão*, XXXI, 15. "Mas se teus pais te obrigam a que Me associes àquilo de que não têm ciência, não lhes obedeças. Obedece-lhes nos assuntos que digam respeito ao mundo, segundo está estabelecido! Segue a senda de quem volta para Mim! Depois, o vosso lugar de retorno estará junto de Mim e informar-vos-ei do que houverdes feito".

[*124*]

LIVRO II - DA ÉTICA DOS DERVIXES

Para mil parentes estranhos a Deus,
Dá-me um único desconhecido que O conheça.

CONTO 44

Um bondoso e amável ancião de Bagdá casou a filha com um sapateiro. Este último, de coração de pedra, mordeu tão fortemente o lábio da moça que o fez sangrar. Vendo-a pela manhã, seu pai disse ao sapateiro: "Ó homem imprestável, o que significa este comportamento? Pelo que tomas sua face? Um pedaço de madeira de mascar?"

Estas palavras não foram ditas
Em tom de brincadeira.
Deixa de gracejos e põe-te sóbrio.
Uma vez arraigados, os maus hábitos
Não nos abandonam até a morte.

CONTO 45

Conta-se a história de um sábio jurista que tinha uma filha de tal feiúra que atingiu a condição de mulher sem conseguir casar-se. A despeito de um dote considerável, ninguém parecia querer desposá-la. "Nem seda adamascada ou o mais fino brocado caem bem em uma noiva feia".

Em desespero de causa, casaram-na finalmente com um cego. Na mesma época, chegou do Ceilão um médico que podia devolver a visão aos olhos sem vida. Perguntaram então ao jurista por que razão não mandava tratar seu genro. "Temo que peça o divórcio se recuperar a visão", respondeu ele.

Marido de mulher feia,
Melhor é que fique cego!

GULISTAN / O JARDIM DAS ROSAS, DE SAADI DE SHIRAZ

CONTO 46

Um grupo de dervixes era visto com desaprovação e desgosto pelo rei. Um dos dervixes, adivinhando a situação, disse-lhe: "Ó rei, enquanto súditos, somos teus subordinados neste mundo, mas nossas vidas são mais felizes. A morte nos fará iguais e no Dia dos Acertos, se Deus quiser, seremos mais favorecidos que tu".

O conquistador de cem reinos
E o dervixe privado de pão,
Na hora da morte, deste mundo
Nada levarão, além de uma mortalha.
No dia em que tiveres de abandonar
A pompa que acompanha a realeza,
Será preferível a mendicância
À posição de monarca.

As marcas exteriores do dervixe são o manto remendado e a cabeça raspada. Um coração vivo e paixões mortas são suas qualidades invisíveis.

Não é um dervixe o que se aparta das pessoas
E se dispõe à contenda quando dele discordam.
Se uma mó de moinho rola o flanco da montanha
Não é um iniciado o que se desvia de seu caminho.

O caminho dos dervixes é recitação, meditação, ação de graças, serviço, submissão, generosidade, satisfação, testemunho da Unidade de Deus, confiança n'Ele, resignação e força de alma. Aquele que possui estas qualidades é de fato um dervixe, mesmo que não use o manto remendado. O andarilho inativo que não reza, o maníaco e o

LIVRO II - DA ÉTICA DOS DERVIXES

sensual que consomem os dias a satisfazer suas paixões e as noites num sono negligente, aquele que come tudo o que lhe cai nas mãos e diz tudo o que lhe passa pela cabeça, esse é um hipócrita, mesmo que use o manto de lã.

Ó tu, cujo coração é vazio de piedade,
Cujas costas envergam o manto da hipocrisia!
Afasta de tua casa os acessórios da riqueza,
Cujo interior não passa de esteira de palha.
Vi ramos de flores frescas
Atadas pela erva a uma cúpula,
E disse: "Que erva vulgar é esta que se uniu às flores?"
As hastes da erva puseram-se a chorar e disseram:
"Silêncio, os bondosos não esquecem
Que tudo está estreitamente ligado.
Se não possuo beleza, cor e aroma,
Não sou ao menos a erva do Seu jardim?"
Eu, Saadi, sou um servo d'Aquele que Tudo Provê,
O Proporcionador dos favores passados.
Seja eu bom ou indigno,
Confio, contudo, na bondade de meu Deus.
Não tenho crédito de bondade,
Nem capital acumulado pela adoração.
Ele conhece a solução para meu estado
Quando tudo me parece insolúvel.
O costume quer que os amos concedam
A liberdade a seus escravos idosos.
Ó Deus, Organizador do Universo,
Liberta Teu velho servidor!

GULISTAN / O JARDIM DAS ROSAS, DE SAADI DE SHIRAZ

Ó Saadi, toma o caminho da fonte do contentamento.
Ó homem de Deus, toma a estrada que conduz a Ele.
Infeliz é aquele que se desvia desta porta,
Pois não encontrará outras!

CONTO 47

Perguntaram a um sábio: "É melhor ser valente ou generoso?" Ele respondeu: "Aquele que é generoso não tem necessidade de ser valente".

Está inscrito na tumba de Bahram Gur:[62]
"A mão generosa vale mais que o braço forte.
Conquistamos o mundo com virilidade e força.
Mas nada pudemos levar para o túmulo".

Embora Hatim Tai[63] aqui não esteja mais,
Seu nome viverá até que soem as trombetas,
Renomado e honrado por seus atos generosos.

Paga aos pobres o imposto sobre teus bens,[64]
Pois a vinha rende melhor
Quando é podada pelo jardineiro.

---

62. Bahram V, ou Bahram Gur, o rei sassânida, já citado na nota 55, era famoso por sua força física.

63. Abu Adi Hatim bin Abdu'llah bin Sadul Tai; personagem árabe pré-islâmico, cavaleiro e poeta, que viveu no final do século VI e princípio do VII d.C., famoso por sua hospitalidade e generosidade. Viveu antes de Muhammad, e teve um filho chamado Adi, que morreu com 120 anos, em 68 d. H., e que teria sido um dos Companheiros do Profeta.

64. Trata-se do Zakat, a esmola praticada como obrigação legal, um dos cinco pilares do Islam.

LIVRO III

DAS VIRTUDES DO CONTENTAMENTO

CONTO 1

No bazar de cestos de Aleppo, um mendigo do *Maghrib*[65] gritava: "Ó senhores de riquezas e bênçãos, se fôsseis justos, e nós, satisfeitos, a prática da mendicância cessaria no mundo inteiro!"

Ó Contentamento, torna-me rico!

Não há riqueza sem Ti.

A escolha de Luqman foi a paciência.

Sem a paciência, ninguém pode ser sábio.

CONTO 2

Dos dois filhos de um emir egípcio, um estudava a ciência enquanto o outro juntava riquezas. O primeiro tornou-se o homem mais sábio da época, e o outro, rei do Egito. O rei, considerando o sábio com desdém, disse: "Cheguei à soberania e tu continuas na pobreza". O outro respondeu: "Ó meu irmão, agradeço a Deus por

---

65. Ou Magreb, a grande região desértica no Norte da África.

[*129*]

GULISTAN / O JARDIM DAS ROSAS, DE SAADI DE SHIRAZ

ter merecido o conhecimento, que é a herança do Profeta, enquanto tu obtiveste o reino do Egito, a herança do faraó".

Sou a formiga que se esmaga com o pé,
E não a vespa que faz gemer os homens.
Não tenho o poder da tirania e da opressão.
Como mostrar minha gratidão por tal bênção?

CONTO 3

Encontrei um dervixe reduzido à mais extrema pobreza. Enquanto cosia um novo retalho em seu manto, dizia, para apaziguar o espírito:

"Contentar-me-ei com pão seco e um manto de remendos,
Pois o fardo de minhas preocupações é mais leve
Que o fardo da obrigação para com os homens".

Alguém que por ali passava lhe disse: "Por que ficas aí sentado? Por que não bates à porta de um homem piedoso que fez voto de servir a todos que renunciaram ao mundo? Se ele tomar conhecimento de teu estado deplorável, certamente irá ajudar-te e considerará seu gesto um favor a si mesmo". O dervixe respondeu: "Silêncio! É preferível morrer de fome a expor as próprias misérias a outra pessoa".

Mais vale coser retalhos e ser paciente,
Que pedir vestimentas aos ricos.
De fato, ir ao Paraíso com ajuda alheia,
Equivale às torturas do inferno.

CONTO 4

Um dia, um rei persa enviou um médico muito habilidoso para servir ao Profeta Muhammad. Ao cabo de um ano, ele não tivera

[130]

LIVRO III - DAS VIRTUDES DO CONTENTAMENTO

chance de mostrar sua competência, sequer de dar uma única consulta. Apresentou-se diante do Profeta e queixou-se: "Embora eu tenha sido enviado para tratar de vossos discípulos, até agora ninguém me consultou e não cumpri meu dever". O Profeta respondeu: "Estas pessoas só comem quando têm fome e param de comer ainda com fome". Beijando o chão, o doutor disse: "Esta é a verdadeira receita da boa saúde".

> O sábio fala ou estende a mão para a comida
> Quando seu silêncio poderia ser nocivo,
> Ou quando, se não comesse, cairia doente.
> Então, suas sábias palavras são desculpadas,
> E sua saúde é recobrada no alimento.

CONTO 5

A história do rei Ardshir Babakan[66] relata que, um dia, ele perguntou a um médico árabe quanto devia comer por dia. Este respondeu: "O peso de cem dracmas[67] seria suficiente". Ardshir perguntou: "Que força esta porção me dará?" O médico respondeu: "Ela te sustentará, e te liberará de todo o excesso de carga a carregar".

> O alimento não tem outro objetivo
> Senão manter a vida e exaltar a Deus.
> Tu pensas que se vive apenas para comer.

---

66. Fundador da dinastia sassânida; reinou de 226 a 240 d.C.; contemporâneo do Imperador Comodus, foi conhecido na Europa como Ataxerxes I, o Longímano.

67. Moeda e medida de peso na Grécia e outros países da Antiguidade.

[*131*]

GULISTAN / O JARDIM DAS ROSAS, DE SAADI DE SHIRAZ

CONTO 6

Dois dervixes do Khorassan viajavam juntos. Um era fraco, em virtude do hábito de jejuar dois dias seguidos, enquanto o outro, que comia três vezes por dia, era forte. Aconteceu de serem barrados às portas de uma cidade e aprisionados por suspeita de espionagem. A porta da cela foi fechada com ferrolho e lacrada. Comprovada sua inocência, depois de duas semanas, abriram a porta: o homem forte foi encontrado morto e seu companheiro, vivo. Cheios de espanto, os guardas consultaram um sábio que lhes disse: "O contrário é que teria sido surpreendente. O comilão não foi capaz de suportar a fome, enquanto o asceta, tendo aprendido a paciência e a arte de resistir às restrições, sobreviveu".

Se um homem habitua-se a comer pouco,
Suportará privações, se as encontrar.
Por outro lado, aquele que nada recusa
Morrerá se passar por tal experiência.
Atiçar o forno do ventre a todo instante
É fadar-se ao desastre no dia da escassez.

CONTO 7

Um sábio preveniu seu filho contra o excesso de comida, dizendo que ele ficaria doente se abusasse. O filho respondeu: "Pai, é a fome que mata. Não ouviste o ditado 'mais vale morrer por ter comido muito do que morrer de fome'?". O sábio acrescentou: "Pratica a moderação. As palavras de Deus são: 'Come e bebe, mas não te excedas'".

Não comas a ponto do alimento sair-te pela boca;
Nem tão pouco, que a alma deixe teu corpo.

[*132*]

LIVRO III - DAS VIRTUDES DO CONTENTAMENTO

A comida no corpo revigora a alma,
O excesso de comida gera dor.
Se comesses geléia de rosas, cairias enfermo;
Mas se comesses pão seco após um longo jejum,
Seria como geléia de rosas.

CONTO 8

Perguntaram a um homem doente: "O que deseja teu coração?"
Ele respondeu: "Que meu coração possa nada desejar!"

Quando estás repleto de comida
E a indigestão começa,
Nem as boas coisas são benéficas.

CONTO 9

Alguns sufis deviam dinheiro a um verdureiro. Ele os perseguia e os insultava todos os dias. Como não podiam pagar a dívida, os sufis suportavam suas ameaças. Um sheikh ouviu o caso, riu e disse: "É mais fácil apaziguar o próprio estômago com promessas de comida que o verdureiro com promessas de dinheiro".

Mais vale renunciar aos favores de um homem rico
Que correr o risco de ser maltratado por seus porteiros.
Mais vale morrer desejando carne,
Que sofrer as detestáveis perseguições dos açougueiros.

CONTO 10

Um bravo jovem havia sofrido um horrível ferimento em uma briga com os tártaros. Alguém aconselhou-o a procurar o mercador que possuía um bálsamo cicatrizante. "Se o pedires, talvez ele te dê".

[*133*]

GULISTAN / O JARDIM DAS ROSAS, DE SAADI DE SHIRAZ

Diziam, no entanto, que o mercador era tão famoso por sua avareza quanto Hatim Tai por sua generosidade.

> Houvesse ele, à mesa,
> Encontrado o sol em vez da comida,
> Ninguém, até o Dia do Juízo,
> Voltaria a ver a luz do dia.

O jovem respondeu: "Não lhe pedirei o bálsamo, pois tanto pode ser que me dê, como pode ser que não. Se me der, talvez seja útil, talvez não. De qualquer modo, pedir a ele seria minha morte". Tudo o que pedes às pessoas vis alimenta teu corpo, mas priva de alimento a tua alma.

Os sábios disseram: "Se o Elixir da Vida estivesse à venda ao preço da honra do comprador, os sábios não o comprariam, pois mais vale morrer por um motivo lícito que viver na ignomínia".

> É preferível o purgante oferecido por mãos amigas
> Aos doces oferecidos por uma pessoa amargurada.

CONTO 11

Um homem instruído tinha várias bocas para alimentar e pouquíssimos recursos. Comentou sua lamentável situação com um amigo próspero que o tinha em alta conta. Este ficou descontente com sua conduta. Parecia-lhe deselegante que um homem de saber levantasse tal questão.

> Não te apresentes a um amigo
> Com o rosto entristecido pelo desgosto,
> Pois anuviarás também sua alegria.
> Mantenha um ar alegre e sorridente
> Para que teu pedido seja satisfeito.

LIVRO III - DAS VIRTUDES DO CONTENTAMENTO

Dizem que ele atendeu às necessidades do amigo, mas a estima que lhe devotava diminuiu. Depois de algum tempo, o sábio percebeu essa mudança e disse: "Os frutos da abjeção são amargos. Talvez alimentem, mas a dignidade é ferida".

Minha comida aumentou,
Mas minha honra diminuiu.
A miséria é melhor que a desonra.

CONTO 12

Um dervixe encontrava-se em grande necessidade e um amigo lhe disse: "Fulano possui enorme fortuna e, certamente, iria ajudar-te se conhecesse tua situação". O dervixe respondeu: "Não o conheço". O outro replicou: "Eu te apresentarei". E, tomando-o pelo braço, levou-o à casa do homem rico. O dervixe encontrou um homem de aspecto aversivo, as sobrancelhas em forma de acento circunflexo no cenho franzido, e regressou sem dizer uma palavra. Perguntaram-lhe o que acontecera. Ele respondeu: "Recusei seu favor por causa de seu rosto".

Não exponhas tua indigência
A um homem de sombrias feições,
Pois seu mau humor intimidar-te-ia.
Se precisas falar, confia tuas aflições
Àquele cujo simples olhar já te alivia.

CONTO 13

Alexandria foi assolada, certo ano, por uma das piores secas de que já se teve notícia. Muitos foram reduzidos à extrema privação e

[135]

GULISTAN / O JARDIM DAS ROSAS, DE SAADI DE SHIRAZ

à agonia. As portas do céu estavam fechadas para a terra e os lamentos do povo elevavam-se ao Senhor.

Não restou animal, pássaro, peixe ou formiga
Que não dirigisse seus lamentos ao céu.
É surpreendente que os suspiros dessas criaturas
Não se tenham unido para formar nuvens
De onde choveria a torrente de suas lágrimas.

Naquela época, havia um pederasta – Deus queira que ele não tenha amigos – de quem não seria cortês nem delicado falar, sobretudo na presença de homens de bem. Entretanto, também não seria conveniente permanecer em absoluto silêncio, pois certas pessoas poderiam atribuí-lo à minha aceitação ou à minha incapacidade de tecer comentários. Assim, limito-me a dedicar-lhe os seguintes versos:

Se um tártaro matasse este pusilânime,
Não haveria que condená-lo à morte.
O que lhe ocorre, ocorre muito à ponte de Bagdá:
A água por debaixo e um homem sobre as costas.

Um detalhe pode indicar muitas coisas, é suficiente uma amostra para se saber o que uma mula transporta. Essa pessoa era muito rica, muito pródiga, e acolhia os viajantes. Um grupo de dervixes, exaustos e completamente famintos, resolveu beneficiar-se de sua hospitalidade e pediram minha opinião. Eu me opus, dizendo:

O leão não come os restos do cão,
Ainda que morra de fome em sua cova.
Resigna teu corpo à fome e à necessidade,
Mas não mendigues favores de homens vis.

[*136*]

LIVRO III - DAS VIRTUDES DO CONTENTAMENTO

Fosse ele um Feridun, envolto em pompa e ouro,
Nem assim consideres como pessoa alguém sem valor.

Belas roupas e brocados em uma pessoa indigna,
São como lápis-lazúli e ouro em uma parede de barro.

CONTO 14

Perguntaram a Hatim Tai: "Já conheceste alguém mais generoso
que tu?" Ele respondeu: "Sim. Um dia, matei quarenta camelos e
convidei príncipes árabes para um banquete. Estava parado um instante sob as árvores e vi um homem catando lenha. Eu lhe disse: 'Por
que não participas da festa que Hatim Tai preparou? Uma multidão
comerá à sua mesa hoje!' Ele respondeu:

'Aquele que come o pão de seu próprio trabalho
Não é, de modo algum, devedor de Hatim Tai'.

"Considero, pois, esse homem superior a mim em magnanimidade".

CONTO 15

Moisés – que a paz esteja com ele – encontrou um dervixe que
se enterrara na areia para esconder a própria nudez. Ele disse: "Ó
Moisés, suplica a Deus que me dê meios de prover minhas necessidades". Moisés rezou e partiu. Mais tarde, reviu o dervixe cercado
por uma enorme multidão, pois havia sido preso. Perguntou o que
ele fizera e alguém respondeu: "Ele embriagou-se, provocou uma
briga, matou um homem e foi condenado à morte".

Gentil gato, se tivesses asas,
Não restariam mais ovos de andorinhas no mundo.

[*137*]

GULISTAN / O JARDIM DAS ROSAS, DE SAADI DE SHIRAZ

Se os fracos pudessem tomar o poder,
Torceriam as mãos dos mais humildes.

Moisés reconheceu a sabedoria do Criador e implorou Seu perdão pela má conduta do dervixe. Deus disse: "E se Allah aumentasse o que está reservado a seus servidores, certamente eles se revoltariam sobre a terra."[68]

O que te tentou, ó homem iludido,
Levando-te à perda de ti mesmo?
A formiga não tinha asas e quis voar.
Quando posição, ouro e prata chegam a um homem,
Na verdade, sua cabeça precisa de um bom golpe.
Não sabes o que dizem os sábios?
Uma formiga é melhor quando não possui asas.
O pai tem muito dinheiro, mas o filho nada precisa,
Pois seu sangue quente lhe basta.
O Poder que te nega as riquezas
Sabe melhor que tu mesmo o que é bom para ti.

CONTO 16

Em Basra, ouvi um árabe contando uma história a um grupo de joalheiros: "Lembro-me de uma vez, quando me perdi no deserto e, tendo acabado a comida e a água, abandonei qualquer esperança de ser salvo. De repente, encontrei um saco cheio de pérolas. Jamais

---

68. Cf. *Corão*, XLII, 27: "Se Deus tivesse estendido sem conta as dádivas a Seus servos, estes ter-se-iam enchido de orgulho na Terra; mas faz descer, como medida, o que quer. Ele está bem informado, é clarividente quanto a Seus servidores."

[138]

LIVRO III - DAS VIRTUDES DO CONTENTAMENTO

esquecerei minha alegria e felicidade, pois achei que era um saco de arroz. Também não esquecerei minha amargura e desespero ao descobrir que eram pérolas".

No deserto crestado de areias movediças,
De que serve a pérola e sua concha ao homem sedento?
Para um homem faminto e prostrado,
Que diferença pode haver entre o ouro e um caco de vidro?

CONTO 17

Perdido no deserto, um árabe foi levado pela sede ao limite de suas forças, e disse:

"Ah, antes que me agarre a morte,
Que eu possa realizar meu sonho:
Estar mergulhado até a cintura
Na água fresca de um rio,
Onde não cessaria de encher meu cantil".

Outro viajante, também perdido, sem comida nem água, ainda possuía algumas moedas de prata na cintura. Embora procurasse de todas as maneiras, não conseguiu encontrar a trilha e morreu. Por acaso, um grupo de viajantes deparou-se com seu corpo, ao lado do qual se encontrava o dinheiro e as seguintes palavras escritas no chão:

Com o mais puro ouro de Jaafer,[69]
Um viajante sem víveres não atingirá sua meta,
Pois um pobre homem no deserto
Precisa menos de prata que de um nabo cozido.

---

69. Ouro puríssimo, produzido pelo famoso alquimista e Imam Shiita Al Jaafer

[*139*]

GULISTAN / O JARDIM DAS ROSAS, DE SAADI DE SHIRAZ

CONTO 18

Nunca fui propenso a queixar-me da adversidade ou a deixar-me perturbar pelas inúmeras inquietações que me assaltavam, até o dia em que me vi sem sapatos e sem dinheiro para comprá-los. Foi assim que entrei na mesquita de Kufa,[70] para aliviar na prece a dor em meu coração. Vi um homem que não tinha pés. Então, dei graças a Deus e aceitei minha própria sorte com paciência.

> Para um homem saciado, uma ave assada
> Vale menos à mesa que alhos-porós cozidos.
> No entanto, para aquele que nada possui,
> Beterrabas cozidas são como uma ave assada.

CONTO 19

Acompanhado de alguns cortesãos, um rei caçava numa região selvagem, longe da cidade. Quando anoiteceu, dirigiram-se a uma cabana solitária e o rei ordenou: "Passaremos a noite aqui para escapar ao frio". Um vizir disse: "Não condiz com a dignidade de vossa majestade passar a noite na cabana de um camponês. Com vossa permissão, armaremos uma tenda aqui e acenderemos o fogo". Ouvindo isso, o camponês pôs-se a juntar toda a sua comida, e a serviu ao rei, dizendo: "Certamente, a dignidade de vossa majestade nada sofreria se tivésseis de ficar na cabana de um camponês. Eles é que não querem que a dignidade do camponês seja realçada por vossa visita".

---

70. Cidade próxima a Bagdá, fundada pelo califa Omar, onde há uma importante mesquita shiita.

[140]

LIVRO III - DAS VIRTUDES DO CONTENTAMENTO

Tais palavras agradaram ao rei, que decidiu passar a noite na cabana, servido pelo camponês. Na manhã seguinte, o rei deu-lhe um manto de honra e algum dinheiro. Dizem que o camponês andou uns tantos passos ao lado do estribo do rei, dizendo:

"Sua dignidade e majestade não foram prejudicadas
Pela noite passada na cabana de um camponês.
O camponês, este sim, foi elevado,
Uma vez que um rei como vós
Projetou vossa sombra sobre sua cabeça".

CONTO 20

Conta-se a história de um mendigo que juntou tamanha fortuna, a ponto de um dia ser procurado pelo rei, que lhe disse: "Empresta-me parte de teu tesouro, pois estou em situação precária. Quando entrar dinheiro em meus cofres, tudo te será devolvido". O mendigo respondeu: "Senhor da terra, não é compatível à dignidade de um rei sujar as mãos com o que um mendigo juntou de grão em grão". O rei respondeu: "Não importa, pois vou dá-lo aos tártaros. 'Que o impuro vá ao que é impuro'".[71] Dizem que o cimento misturado à cal não serve para edificar paredes sólidas. Nós respondemos: isso servirá para cobrir as falhas nas paredes das latrinas.

Se a água de um poço cristão é impura,
Que importa se dela te serves
Para lavar um judeu morto?

---

71. Cf. *Corão*, XXIV, 26. "As torpes para os torpes e os torpes para as torpes. As boas para os bons e os bons para as boas. Estes são inocentes do que dizem os primeiros. Terão um perdão e um quinhão generoso."

[*141*]

GULISTAN / O JARDIM DAS ROSAS, DE SAADI DE SHIRAZ

Ouvi dizer que o mendigo recusou-se a atender o pedido do rei e que foi evasivo e insolente. Por ordem do rei, arrancaram-lhe então o dinheiro à força.

Se a bondade não dá resultado,
Tua cabeça, não importa como,
Curvar-se-á sob a desonra.
Se não tens compaixão pelos outros,
É justo que tampouco tu a recebas.

CONTO 21

Um mercador que possuía cento e cinqüenta camelos e quarenta escravos e serviçais fez-me compartir seu quarto em Kish.[72] A noite inteira foi perturbada por sua conversação confusa. Dizia: "Fulano é meu sócio no Turquestão; tenho tal e tal mercadoria no Hindustão; esta é a escritura destas e daquelas terras; tenho tal e tal seguro de tal e tal propriedade". Um minuto após, dizia: "Creio que vou a Alexandria, onde o clima é bom". E dali a pouco: "Não, o Mediterrâneo é duro e deprimente. Ó Saadi, ainda tenho uma viagem a fazer, depois disso me aposento". Eu perguntei: "E que viagem é essa?" Ele respondeu: "Vou transportar enxofre da Pérsia à China, onde soube que é muito procurado. De lá, transportarei porcelana à Grécia e brocados gregos à Índia; depois, aço a Aleppo, espelhos de Aleppo ao Iêmen e tecido do Iêmen à Pérsia. E, enfim, aposento-me". Terminou por cansar-se das próprias divagações e pediu-me para contar-lhe histórias sobre o que eu já vira e ouvira. Eu então falei:

---

72. Cidade na ilha de Ormuz, no Golfo Pérsico.

[*142*]

Livro III - Das virtudes do contentamento

"Ouviste a história do mercador
Que caiu de seu camelo no deserto?
Ele disse: 'Os olhos quase fechados
Do homem do mundo estão repletos
Ou bem de contentamento,
Ou bem da poeira da tumba'".

CONTO 22

Havia um homem rico, tão famoso por sua avareza quanto Hatim Tai por sua generosidade. Exteriormente, ornava-se das belas coisas deste mundo; contudo, uma alma miserável ditava-lhe os atos, a ponto de preferir a morte a separar-se de um pedaço de pão. Nem um pedacinho ele teria dado ao gato de Abu Hurairah.[73] De fato, nunca se viu sua mesa servida ou sua porta aberta em sinal de acolhimento:

Para os pobres, nada saía de sua casa
Além do cheiro da comida preparada,
Nem migalhas os pássaros encontravam
Depois que ele houvesse comido o pão.

Dizem que viajou ao Egito de barco, a cabeça cheia dos arrogantes pensamentos de um faraó. Levantou-se um vento contrário e o mar enfureceu-se. O barco foi engolido pelas águas e o homem já estava a ponto de afogar-se.[74]

---

73. V. nota 57

74. Cf. *Corão*, X, 90. "E fizemos cruzar o mar aos Filhos de Israel enquanto os perseguiam encarniçadamente e com inimizade o Faraó e seus exércitos, até que, quando lhes chegou o momento de morrerem afogados exclamaram: 'Creio que não há outro deus a não ser o Deus em que crêem os Filhos de Israel. Eu estou entre os submissos.'"

[*143*]

GULISTAN / O JARDIM DAS ROSAS, DE SAADI DE SHIRAZ

Que mais pode fazer o coração além de existir
Com uma alma abatida como a tua?
O vento favorável nem sempre é propício ao navio.

Num gesto de súplica, ele ergueu as mãos e proferiu este inútil lamento:

"Quando se sublevam as ondas do mar,
Envolvendo os homens por todo lado,
E eles têm a certeza de estarem perdidos,
Rezam a Allah, e suas preces são sinceras".[75]
De que servirá a mão suplicante
Que o servo Lhe estende na hora da necessidade,
Se permanece no bolso nos tempos de abundância?
Leva alívio com tua prata e teu ouro,
E serve-te deles também para teu proveito;
Quando abandonares esta morada terrena,
Deixa-a construída com tijolos de ouro e prata.

Contam que seus parentes pobres do Egito herdaram a fortuna e, jogando fora as roupas velhas, cobriram-se de seda e fino linho. Algum tempo depois do ocorrido, vi um deles montado num esplêndido cavalo e acompanhado de um serviçal. E disse a mim mesmo:

Se os mortos pudessem retornar
Ao seio da família e à parentela,

---

75. Cf. Corão, XXIX, 65. "Quando embarcam no navio rogam a Deus, oferecendo-Lhe o culto. Mas quando os conduz sãos a terra, eles associam-Lhe ídolos."

[*144*]

LIVRO III - DAS VIRTUDES DO CONTENTAMENTO

Renunciar à herança seria, para os herdeiros,
Choque muito maior que a morte do parente.

E como já nos conhecíamos, puxei-o pela manga e disse:

"Diverte-te, homem de boa índole,
Pois aquele que era amargurado
Muito juntou, mas não foi feliz".

CONTO 23

Um peixe enorme caiu na rede de um pescador franzino, que não teve força suficiente para retê-lo. O peixe arrancou-lhe a rede das mãos e escapou. O pescador ficou surpreso e disse:

"Um escravo foi buscar água no riacho,
E a água carregou-o rio abaixo.
Normalmente, a rede é que traz o peixe.
Desta vez, o peixe partiu com a rede".

Desolados, os outros pescadores criticaram-no, dizendo: "Um peixe desse tamanho em tua rede e não conseguiste segurá-lo!" Ele respondeu: "Meus irmãos, o que eu poderia ter feito? Ele não estava destinado a ser meu jantar, pois ainda lhe restavam alguns dias para viver". Os sábios dizem: "Um pescador não pega peixe no Tigre se este não é seu destino, e um peixe cuja hora ainda não soou, não morrerá em terra firme".

Nem sempre o caçador tem sucesso –
Um belo dia, pode ser dilacerado por um leopardo.

[*145*]

GULISTAN / O JARDIM DAS ROSAS, DE SAADI DE SHIRAZ

CONTO 24

Um homem sem mãos nem pés matou uma centopéia. Um sheikh que por ali passava disse: "Glória a Deus! Este miriápode não pôde escapar a um homem sem mãos nem pés, pois sua hora havia chegado".

Quando chega o inimigo portador da morte,
A sorte ata as pernas do homem que corre.
No momento em que se apresenta tal inimigo,
Não convém tentar escapar à curva do destino.

CONTO 25

Vi um homem com cérebro de passarinho, pomposamente vestido e com um esplêndido penteado, montado num garanhão de raça. Alguém observou: "Saadi, o que pensas desta seda bordada num tipo tão patético?" Repliquei: "É como um horrível rabisco feito com giz de ouro, pois um asno entre os homens é como um bezerro[76] sem alma nem espírito, que nada possui além de uma voz cavernosa".

Este animal não se assemelha a um homem,
Salvo nas roupas, no penteado e nos adornos.
Conta todos os artefatos de sua existência
E nada encontrarás de legítimo, exceto sua vida!
Se um homem de nobre linhagem cai na miséria,
Nem por isso perde o lugar que lhe é conferido.
Assim, ainda que enfeite sua porta com pregos de ouro,
Nem por isso um servo se tornará nobre.

---

76. Referência ao bezerro de ouro dos israelitas.

LIVRO III - DAS VIRTUDES DO CONTENTAMENTO

CONTO 26

Um ladrão disse a um mendigo: "Não te envergonhas de estender a mão a todo miserável para pedir esmola?" Ele respondeu:

"Mais vale estender a mão para uma esmola
Que tê-la amputada em punição a um roubo!"

CONTO 27

Conta-se a história de um boxeador que se queixava de sua má
sorte. Estava reduzido a um estado miserável por causa de seus es-
cassos recursos e seu enorme apetite. Pediu permissão a seu pai
para deixar a casa, dizendo: "Decidi viajar. Talvez possa tirar algum
proveito de minha força".

A graça e o mérito são desperdiçados
Se permanecem ocultos.
No fogo, o aloés exala seu perfume,
E o almíscar não se conserva nos potes.

Seu pai respondeu: "Meu filho, esquece esta idéia absurda e
contenta-te com tua sorte atual". Os sábios dizem: "A fortuna não
vem quando a procuramos, mas sim quando estamos menos preocupados com o infortúnio".

Ninguém pode forçar os favores da sorte;
Seria um trabalho tão inútil
Quanto pintar olhos na fronte de um cego.
Se a ponta de cada fio de teus cabelos
Carregasse duzentos dons meritórios,
Cada um desses méritos seria inútil

GULISTAN / O JARDIM DAS ROSAS, DE SAADI DE SHIRAZ

Se a fortuna a eles fosse contrária.
O que pode um homem forte, mas sem sorte?
O braço da sorte vale mais que bíceps fortes.

O filho respondeu: "Pai, viajar oferece inúmeras vantagens: areja o espírito, vêem-se coisas e lugares maravilhosos e pode-se visitar excelentes amigos. A dignidade, o saber e as boas maneiras ganham com isso, pois os viajantes – no caminho do'conhecimento – dizem:

"Enquanto ficares confinado em tua casa,
Homem inexperiente, jamais te tornarás um homem.
Segue adiante, diverte-te no mundo, até o momento
Em que deverás entrar sozinho no mundo".

Seu pai respondeu: "Meu filho, as vantagens que uma viagem propicia são inúmeras, realmente. Mas só são proveitosas a cinco classes de pessoas.

"Primeiro, aos mercadores, que graças à sua fortuna e a seus servidores, homens e mulheres que os servem e distraem, gozam de todas as boas coisas do mundo. Passam o dia na cidade e a noite nas pousadas, e cada instante é para eles uma diversão.

Na montanha, no deserto ou na floresta,
O homem rico nunca é um estrangeiro:
Onde quer que vá, instala sua tenda e tem bom leito.
Aquele que não goza dos benefícios da riqueza
É estrangeiro em sua própria terra.

"Segundo, ao homem instruído que, por sua retórica, pelo poder de sua palavra e sua eloqüência, é bem-vindo e acolhido com honra em toda parte.

[*148*]

LIVRO III - DAS VIRTUDES DO CONTENTAMENTO

Até o corpo de um sábio é como o ouro.

Onde quer que vá, seu valor é conhecido.

O filho ignorante de um nobre

É como a moeda que vale em um só reino.

"Terceiro, ao homem cuja beleza ganha o favor dos sufis, pois os sábios disseram: 'Um pouco de beleza vale mais que muitas riquezas; um belo rosto é um bálsamo para os corações feridos, uma chave que abre as portas fechadas'. As pessoas consideram a companhia de tal homem uma vantagem e apressam-se a servi-lo.

Em toda parte, o jovem belo encontra honra e aprovação,

Ainda que os pais o tenham expulsado num momento de ira.

Encontrei uma pena de pavão entre as páginas do Corão,

E disse-lhe: "É presunção estares aqui".

"Cala-te", respondeu ela,

"Quem possui beleza é sempre recebido de braços abertos".

Se o filho possui um caráter amável e jovial,

Não há porque inquietar-se se não é amado por seu pai.

Ele é uma pérola; dize-lhe que abandone sua concha,

Pois todos estarão prontos a acolher jóia tão rara.

"Quarto, àquele que é dotado de bela voz, semelhante à de David,[77] capaz de parar as ondas e os pássaros em seu vôo. Usando este dom, ele cativa os corações e os homens piedosos procuram sua companhia.

Meus ouvidos acolhem com alegria notas cristalinas.

Quem tange a lira com tanta graça?

---

77. Trata-se do rei Davi que, desde menino, era reconhecido por sua bela voz: "Davi tomava a harpa e a dedilhava; então, Saul sentia alívio e se achava melhor, e o espírito maligno se retirava dele" (1 Samuel 16:23).

GULISTAN / O JARDIM DAS ROSAS, DE SAADI DE SHIRAZ

Como a voz doce e acalentadora é agradável
Aos companheiros da taça da manhã.
Prefere uma doce voz a um lindo rosto,
Pois aquela é o alimento da alma,
E este é feito para o prazer sensual.

"Quinto, ao artesão, que ganha o pão com o suor de seu rosto
e que não perde a honra para alimentar-se. Os sábios dizem:

Um sapateiro não sofreria dificuldades
Se fosse obrigado a mudar de cidade.
Mas, se destronado e abandonado,
O rei de Nimroz[78] dormiria com fome.

"Para viajar confortavelmente e sem preocupação, é preciso
pertencer a uma dessas categorias. Aquele que não possui nenhum
desses talentos e qualidades seria um imbecil se partisse sozinho de
sua casa, pois não deixaria rastro e ninguém conheceria seu último
lugar de repouso."

Se a roda da fortuna desfavorece um homem
Seu giro o conduzirá à destruição.
A sorte guia rumo à isca e à rede
O pombo que nunca mais verá seu ninho.

---

78. Reino da antiga Assíria, situado ao norte do Iraque. Trata-se de Nemrod, ou
Ninrode citado em *Genesis*, X, 8-12 como o primeiro homem poderoso sobre a
terra. Rei idólatra, perseguiu Abraão por este professar a unicidade de Deus. Foi
derrotado por um enxame de mosquitos enviado por Deus; um deles entrou em
seu ouvido e deixou-o louco. O nome Nemrod deriva da raiz hebraica MRD,
que dá origem às palavras 'gigante', 'rebelião' ou 'traição'.

[150]

LIVRO III - DAS VIRTUDES DO CONTENTAMENTO

O filho respondeu: "Pai, como posso ignorar o ditado dos sábios? 'Embora o destino e o futuro do homem sejam predeterminados, ele deve persegui-los; e mesmo que a sorte tenha decretado o infortúnio, é preciso ficar alerta e defender-se contra ele'.

Embora nossas necessidades sejam providas
Por decreto de Deus,
Precisamos, todavia, servir-nos da razão
Para descobrir a fonte.
Embora nossa vida não tenha fim antes da hora,
O homem sábio não entra na boca de um dragão.

"Se estou fadado a encontrar um elefante enfurecido e a lutar corpo a corpo com um leão irado, viajar é meu destino, pois não suporto mais esta indigência".

Quando um homem é afastado de seu lar e sua terra,
De que outras penas pode padecer?
Seus são os quatro cantos do mundo.
À noite, o homem próspero procura pouso;
O dervixe, onde quer que se encontre,
Faz desse lugar seu pouso ao anoitecer.
O homem de Deus não é pobre:
Onde quer que vá, de leste a oeste,
O reino de Deus é todo seu.

Havendo dito essas palavras, despediu-se do pai, pediu-lhe a benção e partiu, dizendo a si mesmo:

Um homem de valor,
Cuja fortuna não corresponde aos seus desejos,
Parte para onde ninguém conhece seu nome.

GULISTAN / O JARDIM DAS ROSAS, DE SAADI DE SHIRAZ

E caminhou até atingir a margem de um rio, cujas pedras eram arrastadas pela correnteza e entrechocavam-se num estrondo que se podia ouvir em toda a vizinhança.

Tão grande era a força da correnteza
Que nem uma garça estaria segura.
A menor de suas ondas poderia arrastar
Uma pedra de moinho de sua margem.

Ele viu pessoas esperando um barco e, como não tinha dinheiro para pagar a travessia, tentou em vão a bajulação e a lisonja. O barqueiro virou-lhe as costas, rindo e dizendo:

"Sem ouro, não podes forçar a mão de ninguém;
Com dinheiro, não precisas empregar a força.
De que serve ter a força de dez homens?
Traz o dinheiro de um só".

O jovem ficou furioso e a vontade de revidar apoderou-se de seu coração. Chamou então o barqueiro, que já deixava a margem, e ofereceu-lhe seu casaco. O barqueiro, que cobiçava o casaco, ancorou: a cobiça cega o homem circunspecto, como a voracidade atrai pássaros e peixes à rede.

Assim que o jovem conseguiu agarrar o barqueiro pelo colarinho, arrastou-o para a terra e espancou-o sem compaixão. Seus amigos desceram para socorrê-lo, mas foram rechaçados a socos. Nada lhes restou além de se acalmar e aceitar embarcar o jovem de graça.

Quando o conflito é iminente, utiliza a renúncia,
A compreensão fechará a porta ao conflito.
Sê doce ante a disputa e a cólera,
A espada afiada não cortará a armadura de seda.

[152]

LIVRO III - DAS VIRTUDES DO CONTENTAMENTO

Com doces palavras, gentileza e bondade,
Podes conduzir um elefante com um fio de cabelo.

Eles caíram a seus pés, beijaram suas mãos e pediram-lhe que esquecesse o ocorrido e viajasse com eles. Durante a travessia, chegaram a uma coluna que emergia da água, último vestígio de uma construção grega. O barqueiro disse: "Este obstáculo pode ser perigoso para o barco. É preciso que, do alto da coluna, com uma corda, alguém forte mantenha a proa à distância para que possamos passar com toda a segurança". O jovem, inchado de orgulho e esquecido da inimizade do barqueiro, pegou uma corda e subiu ao topo. Os sábios dizem: "Jamais deixes de te inquietar com relação ao menor mal que tenhas feito a alguém, mesmo que já o tenha reparado. Embora curada a ferida, a cicatriz permanece".

Como dizia Taktash a Khiltash,[79] o lutador:
Se fizeste mal a alguém,
Não estás livre da ansiedade!
Pois conhecerás a mesma pena,
Se um único coração feriste.
Não atires pedras à torre de um castelo,
Pode ocorrer que, do alto, uma pedra te atinja.

Assim que ele chegou ao alto da coluna, o barqueiro arrancou-lhe a corda das mãos e o barco partiu. O jovem ficou consternado e

---

79. Nas edições de Rehatsek e Eastwick, estes nomes seriam de dois renomados atletas da época de Saadi; já a edição da Tractus Books faz referência a *Os Sufis*, de Idries Shah, que afirma serem nomes cifrados pelo código *abjad* – sistema alfanumérico da língua árabe utilizado pelos sufis – para denotar o poder associado à humildade e ao serviço a Deus.

[*153*]

GULISTAN / O JARDIM DAS ROSAS, DE SAADI DE SHIRAZ

aterrorizado. Suportou o suplício durante dois dias. No terceiro, o sono dominou-o e derrubou-o na torrente. Finalmente, após um outro dia e outra noite, foi lançado à margem, mais morto que vivo, e conseguiu ervas e folhas para comer. Tendo recuperado as forças, ganhou a floresta e foi então tomado por uma sede atroz. Ao ver um poço, tentou obter água com um vendedor, mas não tinha dinheiro e nada conseguiu. Suas súplicas não surtiram efeito. Quando tentou a força, foi atacado e surrado pelos camponeses.

Mosquitos em bando dão cabo de um elefante
A despeito de sua bravura, tamanho e força.
Formigas, unidas em combate,
Podem esfolar vivo um leão feroz.

Obrigado pela necessidade, juntou-se a uma caravana. Quando chegaram a um lugar tido como perigoso por ser freqüentado por ladrões, os viajantes foram tomados de terror e resignação. O jovem disse: "Não temais, pois tenho a força de cinqüenta homens e alguns de vós podereis ajudar-me". Assim encorajados, os viajantes alegraram-se e ofereceram-lhe um festim diante do fogo. Depois das privações que sofrera, comeu e bebeu demais e acabou adormecendo. Durante seu sono, um velho e experiente viajante aconselhou os amigos a não confiarem no jovem, dizendo: "Conheço a história de um beduíno que juntou grandes riquezas, mas não podia dormir por medo dos ladrões. Convidou um amigo para fazer-lhe companhia. Porém, tão logo o amigo tomou conhecimento do tesouro, roubou-o. Quando os vizinhos souberam da desgraça do beduíno, perguntaram-lhe: 'Foste atacado pelos ladrões?' Ao que ele respondeu: 'Não, por Deus!, foi o guarda quem me roubou'.

[154]

LIVRO III - DAS VIRTUDES DO CONTENTAMENTO

"Nunca fico tranqüilo com um companheiro
Antes de conhecer seus hábitos e sua índole.
Grande mal podem fazer mãos que parecem amigas.

"Eu vos aconselho, meus amigos, a agir como se este jovem tivesse sido enviado pelos ladrões para dar o sinal de ataque. Deveríamos arrumar a bagagem e partir, enquanto ele ainda dorme". E foi o que fizeram, receosos de que ele acordasse. Mas ele não acordou antes da manhã seguinte e os outros já estavam longe. O pobre rapaz procurou em vão, sem conseguir encontrar nem caminho, nem atalho. Sedento, faminto e desesperado, estendeu-se com o rosto na areia, pronto para morrer, dizendo:

"Com quem vou falar,
Agora que os camelos partiram?
Um estrangeiro não tem amigos
A não ser um outro forasteiro.
Quem já foi estrangeiro em terra estranha
Não trata rudemente os estrangeiros".

Enquanto o desafortunado jovem falava, o filho de um rei que caçava nas redondezas ouviu-o e aproximou-se para ver quem chorava a própria sorte de modo tão comovente. Viu que o jovem tinha um belo porte, apesar da aparência descuidada, e interrogou-o: "De onde vens, como vieste parar aqui?" O jovem contou sua história. Tomado de piedade, o príncipe deu-lhe uma túnica e dinheiro, e enviou-o de volta à sua casa com um de seus cavaleiros. O pai ficou radiante ao rever o filho e agradeceu a Deus que estivesse são e salvo. Naquela noite, contou suas aventuras, e o pai falou: "Eu não te disse que mãos vazias são como mãos atadas, pois que lhes falta poder?"

[155]

GULISTAN / O JARDIM DAS ROSAS, DE SAADI DE SHIRAZ

Como bem disse um cavaleiro em necessidade:
Um grão de ouro vale mais que cem libras de força.

O filho respondeu: "Mas pai, se não enfrentamos dificuldades, nunca ganharemos um tesouro; se não arriscamos a vida, não é possível conquistar a vitória sobre os inimigos. Sem semear o grão, não há colheita. Não vês a tranqüilidade de espírito que adquiri com minhas pequenas desventuras – que lote de mel ganhei, em comparação às picadas que me foram infligidas?"

Embora o homem não deva tomar mais
Do que a soma que lhe é destinada,
Não deve também cochilar em seus esforços.
O mergulhador que teme as mandíbulas do crocodilo
Jamais encontrará a pérola mais valiosa.
A mó jacente permanece inabalável;
Carrega sem queixa o fardo mais pesado.
Quem pode capturar o tigre escondido no fundo da toca?
Qual presa será vítima da águia que repousa tranqüila?
Se procuras uma presa em tua própria casa,
Tens pernas e braços como os de uma aranha.

O pai respondeu: "Meu filho, desta vez o céu velou por ti e a boa sorte te guiou. O espinho saiu de teu pé e a flor brotou do espinho. Um grande homem apiedou-se de ti e socorreu-te no momento difícil, mas tais acontecimentos são raros e não podes contar com eles".

Nem sempre o caçador apanha a presa.
Do tigre, às vezes, ele se torna a presa.

Isso aconteceu a um dos reis da Pérsia que possuía um anel precioso. Um dia, ele foi ao campo com seu séqüito. Colocou o anel

[156]

Livro III - Das virtudes do contentamento

em cima da tumba de Azud ud Dawlah e ordenou que fosse entregue ao primeiro que conseguisse atravessá-lo com uma flecha. Nenhum dos quatrocentos arqueiros da guarda obteve êxito. Mas um jovem que atirava flechas cegamente, do teto de um serralho vizinho, conseguiu fazê-lo. Dizem que o jovem quebrou seu arco e flecha, e quando lhe perguntaram o motivo, respondeu: "Que minha primeira façanha permaneça única".

> Às vezes acontece do sábio mais clarividente
> Formular projetos que não levam a nada.
> E acontece às vezes que, com sua flecha,
> Uma estúpida criança atinja por engano o alvo.

CONTO 28

Ouvi falar de um sábio dervixe que foi morar numa gruta e a todos proibia a entrada. A seus olhos, reis e sultões não tinham valor.

> Aquele que adquire o hábito de mendigar,
> Permanecerá mendigo por toda a vida.
> Rejeita a avidez; sê como um rei sem cobiça,
> E reina sobre todos os outros.

Um dos príncipes do lugar convidou-o para um banquete. O eremita aceitou, pois diz-se que o Profeta prescreve que se aceite um convite! No dia seguinte, o príncipe visitou-o para desculpar-se do incômodo causado por seu insistente convite. O dervixe ergueu-se, abraçou-o e mostrou-se muito cortês. Depois da partida do príncipe, um dos discípulos do sábio perguntou-lhe por que havia sido tão amável e hospitaleiro, se era contrário aos seus hábitos acolher as visitas. Ele respondeu: "Não conheces o ditado?

[*157*]

GULISTAN / O JARDIM DAS ROSAS, DE SAADI DE SHIRAZ

'Se comeste à mesa de um homem,
Deves levantar-te para honrá-lo'.
É possível que durante toda a vida
O ouvido nunca ouça o som
Do tamboril, da lira e da flauta;
O olho pode existir sem o espetáculo de um jardim,
O nariz, sem a rosa e o junquilho.
Se o travesseiro não está cheio de plumas,
Pode-se dormir com uma pedra sob a cabeça;
Se a companheira bem-amada está ausente,
Podemos abraçar-nos a nós mesmos,
Mas esse ventre, com suas dobras inúteis,
Não possui a paciência de existir sem nada.

LIVRO IV

DAS VANTAGENS DO SILÊNCIO

CONTO I

Conversando com um amigo, eu disse: "Calo-me deliberadamente, pois parece-me que o bem e o mal vêm sobretudo da palavra e que nossos inimigos se apegam ao mal". Ele respondeu: "O maior inimigo é aquele que não vê o bem".

> O homem perverso, ao ver o homem piedoso,
> Trata-o como um insolente mentiroso.
> Para aquele que cultiva preconceitos,
> O mérito é um grande defeito.
> Saadi é uma rosa; mas é um espinho
> Aos olhos de seus inimigos.
> O sol que ilumina o mundo
> É detestável aos olhos da toupeira.

CONTO 2

Um mercador sofreu a perda de mil moedas de ouro e aconselhou seu filho a nada dizer a ninguém. O filho replicou: "Se é teu desejo, ficarei em silêncio, mas dize-me a razão deste segredo". Ele

[159]

GULISTAN / O JARDIM DAS ROSAS, DE SAADI DE SHIRAZ

respondeu: "É para que nossa perda não seja redobrada pela alegria de nossos vizinhos".

Não advirtas teus inimigos de tuas perdas,
Para que não se aproveitem de tua situação.

CONTO 3

Havia um jovem versado em todos os ramos do saber. Apesar de sentar-se freqüentemente junto aos sábios, jamais se arriscava a emitir uma opinião. Seu pai perguntou-lhe: "Meu filho, por que não falas sobre os temas que dominas?" Ele respondeu: "Receio que me interroguem sobre algo de que não tenho conhecimento algum, e assim me veja coberto de vergonha".

Contam que um sufi pregava a sola em seus sapatos
Quando um oficial sacudiu-o e disse:
'Vamos, põe ferradura também em meu cavalo'.

Se não emites uma opinião, ninguém discutirá contigo.
Mas se dizes algo, precisarás de provas para sustentá-lo.

CONTO 4

Um sábio instruído e muito piedoso viu-se envolvido numa discussão com um maldito ateu e foi vencido ante a assembléia e expulso às gargalhadas. Alguém lhe disse: "Malgrado todo o teu saber e habilidade, permites que um ateu te vença num debate..." Ele respondeu: "Meus conhecimentos limitam-se ao Corão, às Tradições do Profeta e aos Escritos dos Grandes Imãs. De que me serviria utilizá-los, se ele não lhes dá crédito e só sabe blasfemar?"

[160]

LIVRO IV - DAS VANTAGENS DO SILÊNCIO

Se não podes responder a um homem
Com auxílio do Corão e da Tradição,
Dá-lhe a reposta que merece:
Não lhe respondas nada.

CONTO 5

O sábio Galeno,[80] vendo um louco desrespeitar um erudito, observou: "Se este erudito fosse realmente sábio, seu caso com o louco não teria atingido este estágio".

Raiva e disputa não nascem entre os sábios;
Um sábio não se mede com um tolo.
Se um tolo, pois que é tolo, põe-se a insultar,
O sábio, com sua bondade, cativará seu coração.
Dois sábios guardam um fio de cabelo com tanto cuidado
Quanto o faria um homem encolerizado.
Mas se dois tolos seguram suas extremidades
O fio se partirá, ainda que seja uma corrente.

Um homem de mau humor insultou um outro
Que o suportou com paciência e disse:
"Ó feliz mortal, sou muito pior do que dizes,
Pois vejo que não conheces meus defeitos
Como eu mesmo os conheço".

---

80. Trata-se do eminente médico grego (Pérgamo c.131 – Roma c.201). Suas importantes descobertas em anatomia e seus numerosos tratados fizeram com que seu nome passasse a designar qualquer médico. No Islam, é considerado também um filósofo.

[*161*]

GULISTAN / O JARDIM DAS ROSAS, DE SAADI DE SHIRAZ

CONTO 6

Sabban Wail, o eminente poeta árabe, é devidamente considerado um orador de eloqüência sem par, dado que poderia falar um ano inteiro a uma assembléia sem nunca se repetir. Se tivesse que discorrer sobre um mesmo tema, articulava-o de forma diferente – o que é um dos talentos que se exige dos bons companheiros dos reis.

Embora apaixonantes e doces,
Fonte de aplausos e louvores,
As palavras não deveriam ser repetidas
Uma vez que tenham sido ditas,
Pois um prato doce só se come uma vez.

CONTO 7

Ouvi um filósofo dizer: "Ninguém mostra tanto sua ignorância quanto uma pessoa que interrompe a outra antes que ela tenha terminado de falar".

O discurso, ó sábio, tem um começo e um fim.
Não imponhas o teu no meio de um outro.
Um sábio avisado e prudente nada diz
Até que todos os outros façam silêncio.

CONTO 8

Um grupo de cortesãos do sultão Mahmud perguntou ao mestre Hassan Maimandi,[81] irmão-de-leite do rei e seu vizir: "O que te disse o sultão hoje sobre tal e tal assunto?" Ele respondeu: "Vós sabereis". Eles o pressionaram com perguntas: "O que pode ele ter dito, a ti,

[*162*]

LIVRO IV - DAS VANTAGENS DO SILÊNCIO

seu confidente e conselheiro, que não te pareça apropriado dizer-nos?" Hassan replicou: "É porque sou seu confidente que ele falou comigo, pois sabe que nada revelarei. Por que insistis?"

> Uma boca sensata
> Não repete tudo o que a ela se diz,
> Já que a perda de um segredo real
> Pode significar a perda de uma cabeça!

CONTO 9

Eu estava indeciso a respeito da compra de certa casa, quando um *yahudi*[82] assim me falou: "Sou um velho morador desta rua e, se queres minha opinião, compra-a; posso afirmar-te que está em perfeito estado". – "Tudo estaria perfeito", respondi, "se tu não fosses meu vizinho".

> Uma casa com um vizinho como tu seria cara
> Mesmo a dez dinares abaixo de seu valor real.
> No entanto, seria possível aqui viver na esperança
> De que passasse, com tua morte, a valer mais mil.

---

81. Khawajah Ahmed bin Hassan, chamado Maimandi, da cidade de Maimand, onde nasceu; era vizir do sultão Mahmud de Ghazna (998 a 1030 d. C.). Tinha muitos inimigos na corte, em especial Altantush, general do exército de Mahmud, que constantemente tramava contra ele, sem jamais ser bem-sucedido graças a sua proverbial habilidade e prudência com as palavras. Dizem que foi apresentado ao sultão pelo próprio Firdawsi, o autor do *Shahnamah*.

82. Yahudi, ou yehudi, significa tanto em árabe como em hebraico 'judeu'. Alguns dervixes empregam este termo para designar todo aquele que pertence a uma comunidade ligada por um laço sagrado (YHD) e que violou ou aplicou mal seus princípios.

[*163*]

GULISTAN / O JARDIM DAS ROSAS, DE SAADI DE SHIRAZ

CONTO 10

Um poeta foi levado à presença do chefe de um bando de ladrões e recitou um panegírico. Sob as ordens do chefe, os ladrões despiram-no e atiraram-no aos cães. Ele tentou encontrar uma pedra, mas o chão estava congelado. Vendo-se indefeso, disse: "Que espécie de gente é esta? Não apenas puseram cães no meu encalço, como pregaram as pedras no chão". O chefe, que o observava, começou a rir e disse: "Ó filósofo, podes pedir um favor". O poeta replicou: "Queria minhas roupas, se me puderes fazer o favor de devolvê-las.

"Que meu dom seja minha libertação.
Um homem espera o bem dos que são bons.
De vós, não espero o bem,
Mas ao menos não me façais o mal".

CONTO 11

Ao voltar para casa, um astrônomo encontrou sua mulher em companhia de um estranho e ficou furioso. Um sábio que passava disse-lhe:

"Como podes conhecer o que há nos céus,
Se nem sabes o que se passa em tua própria casa?"

CONTO 12

Um pregador, cuja voz desagradável soava como um ruído desafinado, imaginava-a muito harmoniosa. Dir-se-ia que o crocitar do corvo era seu canto, ou que lhe eram dedicados os versos: "certamente, os acordes mais detestáveis são os zurros dos asnos".[83]

[*164*]

Livro IV - Das vantagens do silêncio

Sem nenhuma dúvida,
A voz de Abu al Fawaris, o pregador,
Destruiria a torre de Persépolis.

As pessoas da aldeia nada podiam fazer, dada a importância de sua posição. Um outro pregador, porém, que secretamente sentia antipatia por ele, disse-lhe um dia: "Vi-te em um sonho!" – "Espero que tenha sido favorável", respondeu o pregador. "Vi", disse o outro, "que tuas ovelhas estavam felizes, era como se tivesses uma voz agradável".

O pregador refletiu um instante e disse: "Bendito seja teu sonho, pois compreendo agora que tenho uma voz desagradável e que as pessoas estão infelizes por isso. Sendo assim, nunca mais pregarei".

Sofro na companhia de amigos
Que louvam minhas más qualidades
E prezam meus defeitos como méritos e virtudes,
Afirmando que meus espinhos são rosas e jasmins.
Onde está o destemido inimigo que apontará minhas faltas?

CONTO 13

Na mesquita de Sanjar,[84] o muezim que chamava os fiéis para a prece tinha uma voz tão horrível que aterrorizava as pessoas. Um nobre, curador da mesquita, homem bom e gentil, que não queria

---

83. *Corão*, XXXI, 19. "Baixa a tua voz! A mais desagradável das vozes é a voz do asno."

84. Muitas mesquitas levam o nome de seus construtores; esta foi erigida pelo sultão Sanjar, sexto sultão seljúcida, que reinou na Pérsia e no Khorassan (*circa* 501 d. H.); filho de Malik Shah. Graças às suas conquistas, foi chamado "segundo Alexandre".

magoar o muezim, disse-lhe um dia: "Valoroso homem, pago cinco dinares ao muezim titular que está nesta mesquita já há muito tempo. Dar-te-ei dez, se encontrares um outro lugar". O homem aceitou e partiu. Algum tempo depois, reencontrou o cavalheiro na rua e reclamou: "Meu senhor, deste-me apenas dez dinares pelo meu cargo, e onde estou agora oferecem-me vinte para deixá-lo, mas não aceitarei". O nobre pôs-se a rir: "Não aceites; em breve oferecer-te-ão cinqüenta".

> Raspar argila num rochedo de granito
> Causa um ruído menos horrível
> Que o som da voz desafinada
> Que arranha o coração.

CONTO 14

Um homem recitava o Corão com voz desafinada. Um devoto perguntou-lhe: "Qual o teu salário?" Ele respondeu: "Nenhum". – "Por que o fazes?", perguntou o sábio. "Recito por amor a Deus", respondeu o homem. "Então", replicou o sábio, "por amor a Deus, cala-te!"

> Se recitas o Corão desta maneira,
> Tornarás sombrio o coração do Islam.

LIVRO V

DO AMOR E DA JUVENTUDE

CONTO I

Alguém perguntou a Hassan Maimandi: "Como é possível que o sultão Mahmud, com tantos escravos, um mais belo que o outro, prefira entre todos a Ayaz,[85] que está longe de ser o mais bonito?" Ele respondeu: "Não sabes que o que alegra o coração parece belo aos olhos?"

Um olhar descontente pode desfigurar
Até mesmo o belo rosto de José.
Um olhar repleto de amor, porém,
Pode transformar um demônio em anjo.
O homem que goza do favor do sultão,
Ainda que faça o mal, permanece bom.
Mas aquele que o sultão olha com ira
Não receberá o favor dos cortesãos.

---

85. Ayaz era o escravo favorito do sultão Mahmud, que reinou em Ghazna (antiga cidade do atual Afeganistão). A história, recorrente na literatura persa, do servo que, por sua beleza e fidelidade, conquista o amor e os favores do rei, é uma alegoria utilizada para ilustrar a relação do homem de fé com Deus.

[*167*]

GULISTAN / O JARDIM DAS ROSAS, DE SAADI DE SHIRAZ

CONTO 2

Conta-se a história de um senhor que mantinha uma afeição pura e sincera por um de seus escravos, de beleza incomparável. Certa vez, ele confessou a um amigo: "Se meu escravo, com sua perfeição, não fosse tão irreverente, seria realmente encantador". O amigo respondeu: "Irmão, quando te afeiçoas a alguém, não esperes ser bem servido, pois quando o amor aparece, a relação de senhor e escravo desaparece".

> Se o senhor ri e brinca com o escravo,
> Não é de espantar que, mesmo ordenando,
> O senhor venha a sujeitar-se como um escravo.
> Um escravo seria um ladrilheiro ou um aguadeiro;
> Mas o escravo mimado golpeia com seu punho.

CONTO 3

Vi um devoto apaixonado, e seu desejo era conhecido por todos. Embora sofresse vergonha e reprovação, não queria renunciar ao seu afeto e dizia:

> "Não retirarei minha mão da barra de teu manto,
> Ainda que me firas com uma lâmina afiada.
> Não há, para mim, abrigo nem refúgio senão em ti.
> Mas, de ti, não tenho refúgio ou abrigo".

Eu o censurei: "O que é feito de tua sabedoria, para que a luxúria tenha deste modo conseguido vencê-la?" Ele refletiu um instante e disse:

> "Cada vez que o amor – o Rei – aparece,
> A força do braço piedoso enfraquece.

[*168*]

LIVRO V - DO AMOR E DA JUVENTUDE

Como um desafortunado, todo imerso no lodo,
Pode viver com o manto limpo?"

CONTO 4

Um homem se havia apaixonado perdidamente e estava desesperado. O objeto de seu amor era um ninho de perigos e destruição;
seria impossível apanhá-lo como uma porção de comida, ou um
pássaro na rede.

Quando o amado olha para teu ouro com desdém,
Este parece, a teus olhos, apenas pó.

Os amigos criticaram-no, dizendo: "Abandona esta idéia absurda; teu desejo tem feito muitos escravos". Ele pôs-se a chorar e disse:

"Dizei a meus amigos que não me aconselhem,
Pois meu olhar segue a seu bel-prazer.
É com a força dos ombros e braços
Que os guerreiros ceifam seus inimigos,
E os belos, seus adoradores.

"Uma das condições da amizade é que se esteja pronto a arriscar a vida por seu amor.

"Tu, que estás repleto de pensamentos egoístas,
Não fazes senão brincar de amor.
Se não podes encontrar o caminho que leva ao teu amor,
Então deves morrer na tentativa!
Se posso tocar a barra de seu manto, tanto melhor!
De outro modo, morrerei no portal de meu amor".

[*169*]

Seus parentes lamentavam muito sua sorte, e por fim o confinaram; mas foi em vão.

Os conselhos são benéficos de mil maneiras,
Mas quando se trata de amor,
Que lugar resta aos conselhos?
Ao agonizante, o médico receita o amargo aloés,
Embora o infeliz suspire por açúcar.

Ouviste falar do que disse o amado à amante?
– "Uma vez que te estimas tanto,
Que valor posso ter a teus olhos?"

Dizem que alguém informou o fato ao filho do rei, que era o objeto daquele desejo, dizendo-lhe: "Um homem de temperamento e comportamento equilibrados, que nos beneficia com sua sabedoria e inteligência, parece ter perdido o uso da razão". O príncipe, sabendo ser a causa da desgraça do homem, montou seu cavalo e foi a seu encontro. Quando o viu chegar, o desafortunado verteu lágrimas e exclamou:

"Aquele que me matou está agora diante de mim.
Será possível que não tenha piedade de sua vítima?"

O príncipe, mostrando-se amável, perguntou sobre sua saúde, mas o infeliz, imerso nos abismos de seu amor, não encontrou fôlego para responder-lhe como os sábios.

Ainda que pudesses recitar de cor o Corão,
Nem do alfabeto lembrarias num momento de aflição.

O príncipe disse-lhe: "Por que não falas comigo? Faço parte da confraria dos sufis, sou um discípulo deles". Tal é o poder das forças

[*170*]

LIVRO V - DO AMOR E DA JUVENTUDE

do amor, que o pobre homem, mergulhado em seu remoinho, ergueu a cabeça e disse:

"É surpreendente que, diante de ti, eu não tenha falecido,
E que, ante tuas palavras, a língua me obedeça".
Assim dizendo, com um grito, deixou sua alma partir.

CONTO 5

Havia um estudante tão belo e encantador, que seu professor apaixonou-se por ele e repetia sem cessar:

"Estou de tal modo enfeitiçado, ó preciosa criança,
Que não me restam pensamentos para mim mesmo.
Não consigo afastar meus olhos de ti,
Ainda que uma flecha venha em minha direção".

O menino disse-lhe: "Poderias, por favor, além das aulas, ensinar-me a disciplinar minha alma, corrigindo-me quando eu disser algo repreensível, para que não repita o mesmo erro?" O mestre respondeu: "Precisas escolher um outro para aconselhar-te, pois meu afeto só me permite ver qualidades em ti".

Aos olhos do pobre de espírito, ainda que seja cego,
Qualidades parecerão defeitos.
Se tens setenta defeitos e uma única qualidade,
Teu amigo nada verá além desta que o redime.

CONTO 6

Lembro-me de uma noite em que um amigo muito querido bateu inesperadamente à minha porta. Em minha pressa, apaguei a lâmpada com a manga de meu manto.

GULISTAN / O JARDIM DAS ROSAS, DE SAADI DE SHIRAZ

Alguém chegou no meio da noite
E iluminou minhas trevas com a luz de sua presença.

Viajando sozinho na noite, tendo-me por único guia,
Veio a mim num halo de luz, e eu disse:
"Bem-vindo! Sê três vezes bem-vindo, Amigo!"
Impressionado com minha sorte, perguntei-me:
"De onde me vem esta riqueza?"

Ele sentou-se e queixou-se: "Por que apagaste a lâmpada quando me viste?" Respondi: "Pensei que o sol havia nascido".

Como dizem os homens de espírito:

Quando o inoportuno entra no halo da vela,
Apressa-te e põe-na no centro do grupo.
Mas se o convidado é de natureza amável,
Apaga então a vela e manda-o entrar.

CONTO 7

Um amigo que eu não via há muito tempo veio visitar-me. Disse-lhe: "Onde estavas? Esperava com impaciência rever-te". Ele respondeu: "Antes impaciência que fastio".

Bem-vindo, após tua longa ausência,
Ó feliz amigo, não permitirei que partas logo.
O amado que só se vê de quando em quando
É mais apreciado que o que se vê com muita freqüência.

O ser querido que vem cercado de amigos traz tormento, pois sua presença pode gerar ciúme e rivalidade. Quando vens visitar-me com amigos, vens em paz, mas és hostil.

[172]

LIVRO V - DO AMOR E DA JUVENTUDE

Quando meu amor mistura-se aos outros,
O ciúme quase me mata no tempo de uma respiração.
Rindo, ele disse: "Saadi, sou a lâmpada desta reunião.
Que me importa se uma mariposa se lança à chama?"

CONTO 8

Fui outrora tão íntimo de um amigo quanto duas amêndoas na mesma casca. Lembro-me que fomos separados subitamente e que, depois de algum tempo, ao retornar, ele pôs-se a censurar-me: "Durante todo o tempo de minha ausência não me escreveste uma única ʹcarta". Eu respondi: "Não queria que um mensageiro pudesse ver-te, enquanto esta alegria me era recusada".

Diz a meu velho amigo
Que não me aconselhe o arrependimento,
Pois nem mesmo sob ameaça me arrependerei.
Eu, enciumado de quem quer que te pudesse contemplar,
E, no entanto, quem poderia ficar saciado de ti?

CONTO 9

Vi um sábio perdido de amor contentar-se com as alegrias da conversação e suportar as difamações com paciência. Um dia, eu lhe disse: "Sei que teus sentimentos são os mais louváveis, mas não condiz com tua dignidade expor-se às suspeitas e tolerar o sarcasmo dos ignorantes e injustos". Ele respondeu: "Amigo, não me repreendas. Pensei e repensei muitas vezes nesse problema e decidi que a paciência sob a opressão e a injustiça vale mais que a paciência na separação".

GULISTAN / O JARDIM DAS ROSAS, DE SAADI DE SHIRAZ

Aquele que entrega o coração ao bem-amado,
Abandona-se nas mãos de um outro.
A gazela que traz um cabresto ao pescoço
Não se pode deslocar por si só.

Como dizem os sábios: "É mais fácil submeter o coração a julgamento que separá-lo do bem-amado".

Um dia, eu disse a um amigo: "Desconfia de teu amor!"
Quantas vezes não lamentei tais palavras!
Um amigo não desconfia de um amigo;
Eu me submeto, seja qual for o desejo de seu coração.
Aquele que não pode passar um dia sem o amado,
Se este lhe é infiel, deve suportar a tirania e a opressão.
Que atraia o amante com doçura,
Ou que o rejeite com ira,
Sabe que as duas coisas estão em seu poder.

CONTO 10

Na flor da idade, como acontece, apaixonei-me por alguém em virtude de sua voz melodiosa e de sua silhueta bela como a lua crescente.

O veludo de seu rosto tinha o frescor da água da vida,
E um olhar nele pousado tinha o gosto do açúcar.

Um dia, ele fez algo que eu desaprovava; abandonei-o, dizendo:

"Deixa-me! Escolhe teu próprio caminho.
Se não me consideras, segue tua própria via".

[*174*]

Livro V - Do amor e da juventude

As pessoas contaram-me as palavras que ele pronunciou, caminhando solitário:

"A recusa do morcego em associar-se ao sol
Em nada diminui sua glória e esplendor".

Entristecido, eu disse:

"Fui privado dos dias de união.
O homem ignora os valores da vida
Até que infortúnio se abata sobre ele.
Volta e mata-me, pois morrer em tua presença
Vale mais que lamentar por toda vida a separação!"

Quando ele retornou, depois de algum tempo, sua voz e beleza haviam desaparecido. Usava uma barba que manchava seu queixo. Ele esperava uma recepção real, mas eu me afastei, dizendo:

"O frescor de tua beleza está agora esvaecido;
Não ponhas o caldeirão no fogo quando este está apagado.
Por quanto tempo ainda farás poses e trejeitos?
Quanto tempo acreditarás que tua antiga beleza ainda existe?
Encontra aquele que te procura,
E guarda teus ares para quem os quer.
Para os que sabem, a erva é bela no jardim, seu lugar;
Para os amantes, a barba sedosa em belo rosto é apreciada.
Teu jardim é como um canteiro de alhos-porós:
Quanto mais os colhes, mais crescem.
Quer tenhas ou não paciência, a penugem de tuas faces
E os tesouros de tua juventude envelhecerão;
Tua beleza passará.

[*175*]

GULISTAN / O JARDIM DAS ROSAS, DE SAADI DE SHIRAZ

Tivesse eu tanto zelo com minha vida
Quanto tu com tua barba,
Certamente cuidaria de conservá-la até o Dia do Juízo".
Eu perguntei: "O que é feito da beleza de teu rosto?
Como formigas escalando a face da lua,
Ele está cercado de pêlos".
Ele respondeu: "Não sei, talvez se tenha coberto de negro,
Em sinal de luto por minha beleza".

CONTO 11

Perguntaram a um sábio: "Um homem está sozinho com uma criatura tão bela quanto a lua, a porta está fechada e todos dormem. Vis apetites atormentam-no e o desejo mostra suas garras – como dizem os árabes: a tâmara está madura e o guardião está sonolento. Poderia este homem, pela força da abstinência, manter o controle da situação e permanecer a salvo?" Ele respondeu: "Se conseguisse escapar aos avanços da bela mulher, não escaparia contudo às más línguas".

Ainda que um homem possa salvar-se da própria perversidade,
Não pode escapar aos pensamentos dos inimigos.
Um homem pode impedir-se de realizar uma ação,
Mas não pode travar a língua dos homens.

CONTO 12

Um papagaio foi colocado numa gaiola com um corvo, e sofria tamanho tormento por sua feiúra que não parava de repetir: "Que coisa abominável este mísero semblante, esta figura maldita e este corpo disforme. Ó corvo agourento, desejaria que houvesse entre nós tanta distância quanto há entre o Leste e o Oeste".

[*176*]

LIVRO V - DO AMOR E DA JUVENTUDE

Para alguém que levantasse pela manhã e visse tua face,
Um dia de paz tornar-se-ia tão negro quanto a noite.
Estarias melhor em companhia de teus semelhantes,
Mas onde encontrar alguém tão horrível quanto tu?

Curiosamente, o corvo, levado ao limite pelo sarcasmo do papagaio, buscava constantemente refúgio em Deus e lamentava sua sorte, dizendo: "Como sou desafortunado! Que desgraça se abateu sobre mim! Ah, se eu pudesse ao menos passear sobre o muro de um jardim, numa posição mais adequada à minha dignidade. Para um santo homem, estar em companhia de prisioneiros já é uma prisão. Que pecados cometi para ter de suportar a presença de um tolo tão vaidoso quanto esta criatura de face maligna? A reclusão já não é calamidade suficiente?"

Ninguém se aproximaria
De um muro em que tua silhueta estivesse pintada.
Se teu lugar fosse o Paraíso,
Os outros escolheriam o Inferno.

Incluí este exemplo para que saibas que, se o sábio sente aversão pelo tolo, o tolo intimida-se pela presença do sábio.

Um homem devoto encontrava-se na prisão entre rufiões.
Um belo jovem de Balkh disse-lhe:
"Não fiques aí sentado com este ar sombrio,
Pois, se não aprecias nossa companhia,
Entre nós também não és bem-vindo.
Esta companhia é como um buquê de rosas e tulipas
Misturadas umas às outras.

GULISTAN / O JARDIM DAS ROSAS, DE SAADI DE SHIRAZ

Tu, qual um ramo seco, destoas em meio a elas
Como um vento contrário, uma onda de frio,
Ou a neve que se insinua no jardim primaveril".

CONTO 13

Eu tinha um companheiro com quem havia viajado e compartido sal[86] durante anos; nossos laços de amizade estavam solidamente forjados. Um dia, a propósito de um pequeno benefício, ele encontrou um meio de ferir meus sentimentos, e nos separamos. Entretanto, os laços entre nós ainda existiam à sombra, pois um dia ouvi dizer que ele recitava estes versos, compostos por mim:

Meu amigo me envenena com a doçura de seu sorriso
E faz penetrar mais sal em minhas feridas.
Ah, se as mechas de seus cabelos envolvessem minhas mãos!
Seriam bem-vindas, como o manto do pródigo para o pobre!

Vários amigos aplaudiram o poema e comprovaram sua perspicácia. Meu amigo elogiava os versos e lamentava o fim de nossa amizade, acusando-se culpado. Escrevi-lhe, então, os seguintes versos e nos reconciliamos:

Não nos juramos fidelidade?
Agiste de modo incorreto e por má fé.
De minha parte, dei as costas ao mundo
E entreguei-te meu coração.
Não sabia que me abandonarias tão cedo;

---

86. No Oriente, comer sal junto com alguém é símbolo de união e intimidade.

[178]

Livro V - Do amor e da juventude

Mas se ainda desejas a paz, volta,

E me serás ainda mais caro do que antes.

CONTO 14

Um homem ficou viúvo de uma belíssima mulher, mas sua sogra permaneceu na casa, pois ele não podia devolver o saldo do dote de sua esposa. O homem estava muito infeliz com sua presença, mas nada podia fazer. Um amigo perguntou-lhe como suportava a perda da querida companheira. Ele respondeu: "Não ver minha mulher não é tão penoso quanto ser obrigado a conviver com minha sogra".

Arrebataram a rosa,

Mas restou o espinho.

Levaram o tesouro,

Mas deixaram viva a serpente guardiã.[87]

É melhor ter os olhos na ponta de uma lança,

A ser obrigado a ver o rosto do inimigo.

Tens a permissão de romper mil amizades,

Se puderes evitar ver a face do inimigo.

CONTO 15

Recordo-me que certa vez, nos tempos de minha juventude, caminhando pela rua, vi um rosto de grande doçura, que tornou ainda mais insuportável o intenso calor do dia; tal visão incendiou a medula de meus ossos. Incapaz de suportar o calor do sol, refugiei-me à sombra de um muro, procurando um aguadeiro que aplacasse

---

87. Segundo a tradição, tesouros eram guardados por serpentes; o único modo de recuperá-los era matá-las.

[179]

GULISTAN / O JARDIM DAS ROSAS, DE SAADI DE SHIRAZ

minha sede. Vi então um escravo cuja beleza desafiava toda descrição: como a manhã que desponta na obscuridade da noite, cintilando como a fonte da vida em meio às trevas, ele surgiu trazendo um cântaro de água perfumada de açúcar e essência de rosas. Jamais saberei se o perfume vinha da água ou do suor de sua face rosada. Bebi do refresco, e a vida me foi restaurada. Então eu disse:

"Meu coração sofre de uma tal sede
Que, ainda que bebesse um mar inteiro
De água fresca e perfumada, não me poderia saciar,
Bem-aventurado o feliz mortal
Cujo olhar se ilumina à visão
Do alvorecer do sol de tal rosto.
Os bêbados podem à meia-noite
Sair de seu pesado sono de vinho;
Mas aquele que é embriagado pelo escanção
Não despertará antes da manhã do Juízo".

CONTO 16

No ano em que Muhammad Khwarezm Shah[88] concluiu uma paz vantajosa com o Khitai,[89] eu estava em Kashgar. Na mesquita, vi um jovem de grande beleza, e como se diz:

Seu mestre ensinou-o muito bem
Os galanteios e a postura,
A tortura, a opressão e a tirania.

---

88. O Shah de Khwarezm é citado no Prefácio; sob seu reinado, Saadi escreveu o *Gulistan*.

89. Khitai, ou Catai, era o nome dado à China na Idade Média.

[*180*]

LIVRO V - DO AMOR E DA JUVENTUDE

Raras vezes vi um ser humano
Com tal perfeição
Gestos, maneiras e porte.
Não sei, talvez tenha aprendido com uma fada.

Ele tinha na mão a *Introdução à Sintaxe*, de Zamakhshari[90] e lia "Zaid vence Amr". Eu lhe disse: "Meu menino, Khwarezm e Khitai fizeram a paz, e a desavença entre Zaid e Amr ainda existe?" Ele riu e perguntou-me de onde eu vinha. Respondi: "De Shiraz". – "Conheces os poemas de Saadi?", perguntou-me ele. Respondi em árabe:

"Como Zaid venceu a Amr,
Fui vencido por um gramático.
Caminhando com orgulho e graça ele me ignora;
Mas como alguém tão suave pode ser tão orgulhoso?"

Por um instante ele esteve pensativo, e então disse: "A maior parte de sua poesia está em persa. Se me pudesses explicar, eu compreenderia melhor. 'Fala às pessoas à medida de sua compreensão', como diz o Corão". Eu respondi:

"Desde que te apaixonaste pela gramática,
Meu coração perdeu a razão.
Ó tu, que raptas o coração dos apaixonados,
Estou absorvido por ti,
Como tu por Amr e Zaid".

Na manhã de minha partida, alguém contou-lhe que eu era Saadi. Ele correu em minha direção, pleno de alegria, e repreendeu-me,

---

90. Alauddin Muhammed Zamakhshari, um dos primeiros gramáticos da língua árabe.

[*181*]

GULISTAN / O JARDIM DAS ROSAS, DE SAADI DE SHIRAZ

dizendo: "Não me disseste que eras Saadi. Eu poderia render-te as maiores honras". Respondi: "Quando estavas perto de mim, perdi a noção de minha identidade". Ele disse: "Por que não ficas mais alguns dias para que eu possa melhor servir-te?" Eu respondi: "Não posso, e minhas razões encontram-se no seguinte conto:

"Vi um adivinho na montanha,
Retirado do mundo, feliz em sua caverna.
'Por que não visitas a cidade', perguntei-lhe,
'Para, de uma vez por todas, dizer adeus ao mundo?'
Ele respondeu: 'Existem tentações muito fortes:
Quando há demasiada argila
Mesmo os mais pesados elefantes escorregam'".

Com essas palavras, abraçamo-nos e separamo-nos.

Qual a vantagem de beijar o rosto do bem-amado
E separar-se no mesmo instante?
É como se uma maçã partida ao meio
Dissesse adeus aos que lhe são caros:
Uma face ruborizada e a outra pálida de emoção.
Se não desfaleço de tristeza no dia da separação,
Podem dizer que não sou leal ao meu amor.

CONTO 17

Um dervixe, que fazia parte de nossa caravana quando tomávamos a estrada para o Hejaz, recebera cem moedas de ouro de um príncipe árabe. Ladrões atacaram a caravana e levaram tudo. Em vão, os mercadores gemeram e lamentaram.

[182]

Livro V - Do amor e da juventude

Que supliques ou que peças ajuda,
Os ladrões não devolverão teu ouro.

Só o dervixe conservou sua atitude calma. Eu lhe disse: "Os ladrões não levaram teu ouro?" – "Sim, eles o levaram", respondeu, "mas esse ouro não tinha para mim tanto valor para que sua perda despedaçasse meu coração".

Não é sábio entregar o coração
A algo ou a alguém,
Pois é sempre difícil recuperá-lo.

Eu respondi: "Tua opinião condiz com uma experiência que vivi quando jovem. Estava ligado por fortes laços de amizade a um outro jovem. Para mim, ele era a perfeição e nada superava o valor de nossa amizade.

"Talvez os anjos do céu sejam mais perfeitos,
Mas nada que é mortal pode com ele rivalizar.
Por esta amizade, juro, qualquer outra será proibida,
Pois nenhum humano pode ser tão sublime como ele.

"Meu amigo morreu repentinamente, e fiz uma vigília solitária ao pé de sua tumba, deixando assim falar minha dor:

"Que eu também houvesse perecido,
No dia em que o espinho da morte penetrou teu pé,
Para que eu não pudesse contemplar o mundo sem ti.
E, no entanto, aqui estou, junto às tuas cinzas;
Que elas recaiam também sobre minha cabeça!
Nem o repouso nem o sono visitaram-no
Antes que ele tivesse semeado rosas e junquilhos.

[*183*]

GULISTAN / O JARDIM DAS ROSAS, DE SAADI DE SHIRAZ

As vicissitudes da vida esvaíram a rosa de suas faces;
Agora, só espinhos crescem em sua tumba.

"Depois de sua morte, resolvi fugir de toda intimidade para com quem quer que fosse.

"As benesses do comércio marítimo seriam inúmeras
Não existisse o temor às ondas.
Doce seria a companhia das rosas,
Não houvesse o temor aos espinhos.
Noite passada, orgulhoso como um pavão,
Vangloriava-me no jardim da União.
Hoje, contorço-me como a serpente
Pois estou separado do Amigo".

CONTO 18

Contaram a um príncipe árabe a história de Layla e Majnun[91] e descreveram o estado de loucura do amante, dizendo: "Apesar de sua grande sabedoria e eloqüência, perdeu todo o controle de si mesmo e foi morar na floresta, onde tornou-se amigo das feras". Majnun foi trazido sob ordens do príncipe, que o repreendeu, dizendo: "Que imperfeição descobriste, afinal, na humanidade, para preferir a companhia dos animais e abandonar a sociedade dos homens?"

Majnun suspirou e respondeu:

---

91. Em árabe, *al majnun* significa literalmente 'homem possuído por um gênio', até popularizar-se apenas como 'louco'. O amor de Majnun por Layla é um tema recorrente na literatura mística persa, celebrizado especialmente por Jami e Nizami.

[*184*]

LIVRO V - DO AMOR E DA JUVENTUDE

"Verdadeiros amigos criticam-me por causa de meu amor.

Ah! Se ao menos pudessem ver-te, compreenderiam!

Se os que criticam minhas maneiras pudessem ver teu rosto,

Ó tu que cativas os corações,

Que à tua simples visão

Possam eles cortar as mãos em vez da laranja![92]

"Sua aparição confirmaria minhas palavras e eu poderia dizer: 'Eis aquela por quem me repreendeis'."[93]

O príncipe desejou ver a grande beleza de Layla e maravilhar-se, ele também, ante a causa da alienação de Majnun. Por ordens suas, ela foi conduzida à sua presença. Ele viu uma mulher esguia, de pele negra, que a seus olhos, porém, não tinha qualquer interesse, se comparada às suas próprias escravas, todas mais belas e mais graciosas. Majnun viu o espanto do príncipe e disse-lhe:

"Ó príncipe, deverias olhar para Layla

Apenas com os olhos de Majnun!

Não podes aliviar minha pena.

Meu amigo deve ser um companheiro de dor,

Para poder contar minha história, noite e dia;

Dois pedaços de madeira, juntos,

Ardem com maior claridade.

Os pombos do crepúsculo lamentariam

Se soubessem de minha triste sorte.

---

92. Referência à passagem corânica em que um grupo de mulheres, cativadas pela beleza de José (aqui, comparado a Layla), cortaram as mãos quando descascavam laranjas (cf. *Corão* XII, 31).

93. Cf. *Corão*, XII, 32.

[*185*]

GULISTAN / O JARDIM DAS ROSAS, DE SAADI DE SHIRAZ

Ó amigo, aquele que não sentiu
As feridas do amor,
Que conheça o sofrimento dos aflitos!
Aqueles que têm o coração livre
Não conhecem as dores de um coração cativo,
Só os que sofrem do mesmo mal.
De nada serve descrever um zangão
A quem nunca foi picado.
Até que teu estado seja semelhante ao meu,
Tu me considerarás um estranho.
Não compares a chama que me consome
Àquela que consome um outro qualquer.
Se ele tem sal em suas mãos,
Eu o tenho em minhas feridas".

CONTO 19

Contam que o cádi de Hamadan apaixonou-se pelo filho de um sapateiro. Passava a maior parte do tempo pensando no rapaz e dizendo:

"Surgiu diante de meus olhos
Um cipreste ereto e esguio,
Que raptou meu coração e pisoteou-o.
Meus olhos maravilhados
Conduziram-me a uma armadilha.
Mantém os olhos fechados,
Se queres manter a salvo o coração".

Aconteceu que o jovem, já tendo sabido de seus desejos, encontrou o cádi na rua. Estava furioso, insultou-o e apanhou uma

[*186*]

LIVRO V - DO AMOR E DA JUVENTUDE

pedra para atingi-lo. O cádi fez a seguinte observação a um alto dignitário que cavalgava a seu lado:

"Vê a encantadora cólera deste menino
E o belo franzido de seu cenho".

Como dizem os árabes:

Um golpe do bem-amado
É como o afago da pluma.
O soco dado por ti
É melhor que o pão
Levado à boca
Por minha própria mão.

E acrescentou: "Sua insolência tem um fundo de condescendência, como os reis que pronunciam palavras marciais quando, secretamente, desejam a paz. A uva que acaba de ser colhida é azeda; espera um dia ou dois e amadurecerá".

Retornando à corte, alguns homens de grande renome e boa conduta que o esperavam disseram-lhe: "Pedimos permissão para falar, embora nossas palavras possam parecer contrárias à boa educação. Como dizem os sábios:

"Não é bom discutir por qualquer coisa;
E é um equívoco
Apontar aos grandes suas faltas.

"Todavia, tu nos cumulaste de favores no passado e não seria justo esconder-te algo que te poderia ser útil. Somos da opinião que farias melhor em renunciar ao interesse que tens pelo menino, em expulsar o desejo e não macular a alta função de cádi com um crime

GULISTAN / O JARDIM DAS ROSAS, DE SAADI DE SHIRAZ

abominável, pois este rapaz é tal como viste e tal como acabamos de descrever.

"Que importa a honra de um homem justo
Àquele que pôde cometer atos tão vergonhosos?
Quantos nomes ilustres não se arrastaram na lama
Pela vilania de um mau súdito!"

O conselho desses amigos sinceros sensibilizou o cádi, e ele sentiu-se agradecido, mas declarou: "Vosso interesse em meu bem-estar me comove, e vossa sabedoria é justa. No entanto,

"Podeis fazer-me tantas reprimendas quanto quiserdes:
Não se remove a cor da pele de um negro.
Aconteça o que acontecer, não posso esquecê-lo.
Sou como a serpente cuja cabeça foi esmagada:
Não posso contorcer-me, nem gemer".

Ele perseverou em seus sentimentos pelo jovem e gastou muito dinheiro. Pois está dito:

Dinheiro na balança é força no braço,
Mas aquele que não pode realizar os desejos
Não tem ninguém no mundo.
Todos inclinam-se diante do ouro,
Até mesmo a agulha de ferro da balança.

Finalmente, uma noite, foi promovido um encontro entre o cádi e o jovem, e o chefe da polícia foi informado. De todo modo, o ditoso cádi, ignorando o fato, passou a noite a beber e a divertir-se, dizendo:

"O galo não está a cantar mais cedo que de costume?
Os amantes ainda não se enlaçaram o suficiente.

[*188*]

LIVRO V - DO AMOR E DA JUVENTUDE

A face do meu amor, aninhada entre cachos de ouro,
É como a bola de marfim
Colhida na curva de ébano do taco de pólo.
Cuidado para que o sono não venha de repente,
E passes a vida a lamentar-te.
Até ouvir o muezim,
Anunciando a prece matinal,
Ou o rufar do tambor do palácio do Atabeg,
Seria absurdo abandonar estes lábios sedosos,
Ao simples chamado de um galo idiota".

Enquanto o cádi assim falava, um de seus servidores entrou e disse: "Por que ficais sentado, sonhando? Deveríeis fugir, pois um de vossos inimigos vos acusou, não sem razão, de grave falta. É preciso que vos afasteis, até que possamos reparar o mal, que ainda não tem muita importância, mas que pode agravar-se". O cádi sorriu e respondeu:

"Quando o leão tem a pata sobre a presa
De que serve o latido do cão?
Volta teu rosto ao bem-amado
E ignora a cólera do inimigo".

Informado das atividades do cádi, o rei foi tomado de grande cólera, mas disse: "Sei que esse homem é um dos maiores eruditos de nosso tempo, e que é único. Talvez seus inimigos façam circular falsos rumores a seu respeito. Assim, nada direi até ver por mim mesmo. Pois está dito:

"Sacar a espada com pressa num momento de cólera
É preparar para mais tarde a agonia do remorso".

[*189*]

GULISTAN / O JARDIM DAS ROSAS, DE SAADI DE SHIRAZ

Acompanhado de alguns cortesãos, foi à casa do cádi, onde encontrou as velas acesas, o favorito presente, vinho derramado por toda parte e o cádi embriagado em sono profundo. Eles o despertaram docemente, dizendo: "Acorda, pois o sol já levantou". Compreendendo o perigo da situação, o cádi perguntou: "De que lado?" O rei respondeu: "No leste". – "Deus seja louvado", disse o cádi, "ainda posso arrepender-me, pois na Tradição do Profeta está dito: 'Até que o sol se levante no oeste, as portas do arrependimento não se fecharão aos servidores de Deus!'[94]

"Duas coisas levaram-me ao pecado:
A má sorte e a falta de sabedoria.
Se me prendeis, merecerei minha sorte;
Se me perdoais, lembrai que o pecado perdoado
Vale mais que a vingança".

O rei respondeu: "O arrependimento de nada te servirá, pois só o fizeste depois de ter tomado consciência do perigo. Deus proclamou: "Mas sua fé pode não lhes ser de nenhum proveito, depois de terem visto nossa punição![95]

"De que serve arrepender-te de um roubo,
Quando te é impossível entrar no palácio?
Àquele que pode alcançar o fruto, diz:

---

94. Segundo a tradição islâmica, um dos sinais do Dia do Juízo será o raiar do sol no Ocidente.

95. Cf. *Corão*, XL, 85: "De nada lhes servirá a sua profissão de fé feita depois de haverem visto a Nossa ira. Este é o costume de Deus que se aplicou aos Seus servidores. Ali perecem os falsificadores."

[190]

LIVRO V - DO AMOR E DA JUVENTUDE

'Retira tua mão!'
Mas se o fruto está além do alcance
Não haverá tentação de apanhá-lo.

"Dada a gravidade de teu crime, agora descoberto à luz do dia, não podes subtrair-te à punição". Assim falou o rei, e mandou vir o carrasco. O cádi disse: "Posso dizer algumas palavras?

"Por mostrares teu grande descontentamento
Diante de meus atos,
Não creias que retirarei a mão
Da barra de teu manto.
Posso perder a esperança de escapar a meu erro,
Mas não perco a esperança da vida,
Pois conheço tua generosidade".

O rei respondeu: "Tuas palavras são espirituosas e marcaste um ponto; mas é contrário à razão e à lei que escapes ao castigo simplesmente utilizando tua erudição e eloqüência. Decidi que serás atirado do alto do castelo para que tua sorte sirva de exemplo aos outros". O cádi respondeu: "Senhor, envelheci a serviço de tua casa e não sou o único responsável por este crime. Manda lançar algum outro do alto das muralhas e aproveitarei o exemplo!" O rei riu e, perdoando-o, dirigiu-se aos inimigos do cádi que esperavam sua execução:

"Vós que trazeis o peso de vossas próprias faltas,
Como podeis arruinar um outro com as dele?"

CONTO 20

Um rapaz, respeitável por sua conduta e sua família, estava prometido a uma bela jovem.

[*191*]

GULISTAN / O JARDIM DAS ROSAS, DE SAADI DE SHIRAZ

Ouvi dizer que, enquanto navegavam juntos no oceano, foram pegos por um ciclone. Quando um marinheiro conseguiu agarrar a mão do jovem para salvá-lo da morte, ele exclamou em meio às ondas: "Deixa-me, e toma a mão de minha amada!" E um instante antes de morrer, ainda o ouviram: "Não ouças as palavras de amor do inútil falastrão que se vangloria mas esquece sua amada na hora do perigo".

Assim vivem os amantes. Lembra-te de tudo o que acaba de ser contado, pois Saadi conhece as coisas do amor tão bem quanto a gente de Bagdá conhece o cavalo árabe.

> Ata o coração unicamente ao bem-amado.
> Fecha teus olhos a todo o resto.
> Se Layla e Majnun vivessem hoje,
> Copiariam seu amor neste livro.

LIVRO VI

DA FRAQUEZA E DA VELHICE

CONTO I

Eu estava sentado na grande mesquita de Damasco, falando com um grupo de homens instruídos, quando um jovem entrou e perguntou: "Há alguém aqui que fale o persa?" Apontaram-me. Ele explicou-me: "Um velho de cento e cinqüenta anos está agonizando e disse-nos alguma coisa em persa que não compreendemos. Se puderes dar-te ao trabalho de vir comigo, serás recompensado. Talvez ele deseje fazer um testamento". Fui, então, à sua cabeceira e o velho disse:

"Deixai-me passar alguns instantes
A satisfazer meus desejos.
Minha garganta está cerrada,
Ai de mim, à mesa farta
Das doçuras da vida
Que, há apenas alguns instantes, eu provava.
E disseram-me: 'acabou'".

Traduzi suas palavras aos damasquinos, que ficaram maravilhados ao observar que, apesar da idade avançada, o moribundo ainda

[*193*]

deplorasse o fim de seus dias. Eu lhe perguntei como se sentia. Ele respondeu: "O que posso dizer?

"Jamais vistes o sofrimento de um homem
De quem se arranca um dente da boca?
Imaginai então que sentimento provo
Agora que minha própria alma
Está a abandonar meu corpo!"

Eu respondi: "Não te consideres já morto, pois os filósofos gregos disseram: 'Um homem santo não pode esperar viver eternamente; mas um homem gravemente doente também não deve esperar a morte como uma certeza'. Se o desejas, irei buscar um médico para ti". Ele abriu os olhos, começou a rir e disse:

"O médico habilidoso esfregará as mãos
Quando vir o velho senil
À mercê do inimigo, a morte.
O proprietário decora o pórtico de sua casa,
Mas ela está podre até os alicerces.
Um ancião geme na angústia da morte;
Sua velha mulher fricciona-o com essência de sândalo.
Quando o equilíbrio da saúde é destruído,
Encantamentos e remédios de nada servirão".

CONTO 2

Conta-se que um ancião desposou uma virgem e que havia decorado a casa para sua chegada. Só tinha olhos para ela e entregou-lhe o coração. Não podia dormir à noite; falava e brincava, na esperança

[*194*]

Livro VI - Da fraqueza e da velhice

de que ela perdesse a timidez e se criasse mais intimidade entre eles. Uma noite, ele disse: "A boa sorte te sorriu. Ela te protegeu, e de modo tal que te tornaste o quinhão de um homem maduro e experiente, que muito viajou, sereno e confiante, que conheceu o bem e o mal deste mundo, provou do sucesso e da derrota, e que conhece a verdade do amor. Fiel, bom amante, de boa índole e trato afável.

> "Tentarei com todas as forças
> Cativar teu coração;
> Ainda que me insultes,
> Eu te adorarei;
> E se teu alimento deve ser açúcar,
> Como o que cabe ao papagaio,
> Sacrificar-me-ei por teu conforto.

"Não caíste nas mãos de um jovem egoísta, cabeça-dura de "miolo mole", que muda de idéia a cada instante, que passa as noites a seu bel-prazer e os dias em busca de novos amores.

> "Sábios e belos que sejam, os jovens
> Não podem ser fiéis.
> Não esperes fidelidade do rouxinol
> De olhos vagabundos,
> Que a cada minuto canta para uma nova flor.

"Homens mais velhos, porém, são guiados pela sabedoria e pela cortesia, e não pela ignorância da juventude.

> "Procura desposar alguém melhor que tu,
> Pois tua vida não serviria de grande coisa
> Com alguém semelhante a ti".

[*195*]

O homem velho que não se pode levantar do leito
Tampouco pode levar a mulher como deseja ser levada

LIVRO VI - DA FRAQUEZA E DA VELHICE

O velho homem comentou: "Assim falei muitas vezes, acreditando que conquistava seu coração. De repente, porém, ela deu um profundo suspiro, cheio de tristeza, e disse-me: 'Todas as palavras que dizes não valem, em minha opinião, o ditado de minha velha ama: coração de moça trespassado de flechas é melhor que homem velho como marido'".

> Se uma mulher se levanta insatisfeita
> Ao lado de seu homem,
> Desgostos e brigas surgirão no trato caseiro.
> O homem velho que não se pode levantar do leito
> Tampouco pode levar a mulher como deseja ser levada.[96]

Finalmente, separaram-se. Decorrido o período de espera, ela casou-se com um jovem irascível, sem tostão, de fisionomia sempre azeda e comportamento execrável, que a surrava regularmente, submetendo-a a todo tipo de sofrimento. Entretanto, ela agradecia a Deus por Sua misericórdia, dizendo: "Graças a Deus por ter sido libertada daquele tormento e ter recebido essa bênção".

> Um rosto bonito, vestidos de brocado,
> Sândalo, aloés, cores, perfumes e caprichos,
> São os adornos da mulher.
> Os homens só têm a força de suas vísceras.
> Se és belo, perdôo teu mau caráter e abusos.
> Antes arder contigo no fogo do tormento
> Que estar com outro no Paraíso.

---

96. O final deste verso na edição de Rehatsek traz: "Se um velho não pode erguer-se sem um cajado / Como pode erguer seu próprio cajado?"

GULISTAN / O JARDIM DAS ROSAS, DE SAADI DE SHIRAZ

É preferível o cheiro de cebola
Na boca de um belo jovem,
Ao perfume da flor
Nas feias mãos de um velho.

CONTO 3

Fui convidado de um senhor idoso em Diyarbakir.[97] Ele possuía
muitos bens e um filho de grande beleza. Uma noite, contou-me sua
história: "Durante minha longa vida, só tive este filho. Há uma árvore no vale que se tornou local de peregrinação; aqueles que estão
em necessidade vão ali orar para que seus desejos se realizem. Durante noites inteiras, rezei ao pé dessa árvore, até que Deus me
concedeu este filho".

Ouvi o filho dizer a seus amigos: "Eu bem queria saber onde se
encontra essa árvore e ir até lá rezar para que meu pai morra logo".
De um lado, o pai alegrava-se por ter um bom filho; por outro, o
filho zombava, dizendo: "Meu pai é débil e caduco".

Anos passarão
Antes que visites a tumba de teu pai.
Que bem fizeste a ele?
Que o mesmo não suceda a ti!

CONTO 4

Um dia, quando eu estava na força da juventude, percorri um
longo caminho e parei ao cair da noite, exausto, ao pé de um outeiro.

---

97. Assim os persas chamavam a Mesopotâmia.

[*198*]

Livro VI - Da fraqueza e da velhice

Um velho fraco, que seguia a caravana, aproximou-se e perguntou-me: "O que fazes? Aqui não é lugar para dormir". Eu respondi: "Não posso seguir adiante, não consigo mais manter-me em pé". Ele retorquiu: "Segue os conselhos dos sábios que dizem: Viajar e descansar é melhor que correr e extenuar-se".

Ó tu, impaciente em chegar ao lugar de repouso,
Não sejas impetuoso.
Segue meu conselho e aprende a paciência.
O veloz cavalo árabe dá duas voltas na pista a galope.
O camelo avança, dia e noite, pesada e lentamente.

CONTO 5

Havia, em meu círculo de amigos, um jovem de coração livre e despreocupado, espirituoso e sempre risonho. Durante algum tempo, eu o perdi de vista. Ele havia casado e era pai de várias crianças. Encontrei-o mudado, calmo e solene. O mundo e seus problemas haviam dissipado a impetuosidade da juventude ao dar-lhe responsabilidades. Eu lhe perguntei: "Como vais? O que te aconteceu?" Ele respondeu: "Desde que tive filhos, deixei de ser criança".

A juventude passou, a velhice nos ameaça
Lembrando-nos do futuro.
Se envelheceste, deixa teus modos de criança;
Deixa aos jovens as anedotas e os folguedos.
Não busques a alegria infantil nos velhos.
Uma vez escoada, a água não volta ao riacho.
Quando chega o tempo da colheita,

GULISTAN / O JARDIM DAS ROSAS, DE SAADI DE SHIRAZ

O campo perde o encanto da semeadura.
A juventude está longe no presente;
Ai de mim, foi-se o tempo de prazeres!
Meu pulso de ferro perdeu sua força.
Resignei-me à mediocridade.

Uma velha mulher tingiu os cabelos de negro.
Eu disse: "Mãe, tingiste os cabelos
Mas és incapaz de te manteres ereta".

CONTO 6

Um dia, na loucura de minha juventude, ergui a voz para minha mãe. Com o coração partido, ela me disse, chorando: "Esqueceste tua infância para me tratares tão rudemente".

Como são plenas de bom senso
As palavras de uma mãe a seu filho
Já feito homem grande e viril:
"Se lembrasses algo de tua infância,
Quando eras um pobre e pequeno ser,
Sem defesa em meus braços,
Não serias injusto para comigo,
Agora que sou uma mulher velha
E tu, um homem valente".

CONTO 7

O filho de um avarento caiu doente. Seus amigos disseram ao pai: "Deverias recitar o Corão inteiro, ou então oferecer por teu filho

[200]

LIVRO VI - DA FRAQUEZA E DA VELHICE

um generoso sacrifício e dar sua parte de carne aos pobres, para que Deus lhe conceda saúde". O avarento refletiu durante alguns minutos e disse: "É melhor recitar o Corão". Ouvindo isto, um homem piedoso falou: "Ele escolheu o Corão porque este está em seus lábios, enquanto seu ouro está encravado muito fundo em seu coração".

Ai, como estão prontos a cair em adoração,
Quando correm o risco de gastar dinheiro.
Ficarão grudados aos seus dinares,
Como asnos atolados na lama.
Para uma prece que se faz com o coração,
Eles precisarão recitar mil vezes o Corão.

CONTO 8

Perguntaram a um velho: "Porque não te casas?" Ele respondeu: "A companhia de uma velha mulher não me agradaria". – "Então, desposa uma jovem", aconselharam. "Estou velho", respondeu ele, "e não amo as velhas mulheres; e uma jovem não se apaixonaria por mim".

Como um velho de setenta anos
Pode fazer papel de jovem?
Um cego de nascença
Não pode sonhar que tem visão.
É a força que conta, e não o ouro;
Uma mulher tem outros apetites
Que a comida não saberia satisfazer.

CONTO 9

Ouvi a história de um velho que resolveu casar-se. Desposou uma jovem deslumbrante, cujo nome era Pérola [Fewel]. Ele adorava-

[201]

a e guardava-a escondida como a um cofre de pedras preciosas. Na noite de núpcias, embora animado por ardente desejo, foi incapaz de manter relações com ela. Perseverou, mas foi impossível. Está dito: "O tecido espesso só pode ser costurado com agulha de ferro". Ele queixou-se aos amigos, inventou desculpas e acusou a mulher de gastar demasiadamente. A discórdia e a má fé instalaram-se entre eles, a ponto de ter-se de recorrer aos tribunais. À guisa de reprimenda, Saadi observou: "Como censurar a jovem? Com tuas mãos trêmulas, que não sabem perfurar uma pérola, como poderias prendê-la em teu colar?"

LIVRO VII

Dos efeitos da educação

CONTO I

Certo vizir tinha um filho estúpido, que foi confiado a um erudito na esperança de que aprendesse alguma coisa. Foi caso perdido e, por fim, o sábio enviou uma mensagem ao pai, dizendo: "Teu filho não ficou inteligente, mas eu fiquei louco".

Se um fundamento de inteligência existe,
A educação lhe será frutífera.
Nenhum polidor conseguirá polir aço de má qualidade.
Lavas sete vezes um animal impuro,[98]
E ele continuará impuro, seco ou molhado.
Ainda que o asno de Jesus fosse a Meca
Ainda seria um asno.

---

98. Referência aos animais ritualmente impuros como o cão e especialmente o porco, cujo contato é absolutamente vedado ao fiel no Judaísmo e no Islam.

GULISTAN / O JARDIM DAS ROSAS, DE SAADI DE SHIRAZ

CONTO 2

Um sábio aconselhou seus filhos, dizendo: "Mérito é o que precisais adquirir, pois não se deve confiar nas coisas deste mundo, como posses e riqueza. Ouro e prata, ao fim das contas, são fonte de perigo – podeis perdê-los em benefício de um ladrão ou gastá-los pouco a pouco, enquanto o mérito é um valor eterno e fonte inesgotável de recompensa. Não importa se um homem hábil sofre um revés da sorte, pois o conhecimento é riqueza em si mesmo; em todos os lugares é acolhido com honra. Já um homem sem mérito vive de restos, e sofre duras provações.

"Depois de haver provado o poder
E ter recebido a deferência dos homens,
É penoso sofrer o opróbrio e a opressão.
Quando a revolução eclodiu na Síria,
Cada um procurou um lugar de refúgio.
Jovens aldeões de valor ocuparam cargos de vizir;
Filhos de vizir, pobres de espírito,
Mendigaram pão nas aldeias.
Se quiseres a herança de teu pai,
Adquire seu conhecimento,
Pois sua fortuna poderá gastar-se em dez dias".

CONTO 3

Um dos grandes sábios da época era o preceptor do filho de um rei, a quem surrava e atormentava sem piedade. Quando não pôde mais suportar, o príncipe foi queixar-se ao pai, mostrando-lhe as marcas das pancadas. Entristecido, o pai perguntou ao preceptor:

[204]

"Se quiseres a herança de teu pai, adquire seu conhecimento,
Pois sua fortuna poderá gastar-se em dez dias."

GULISTAN / O JARDIM DAS ROSAS, DE SAADI DE SHIRAZ

"Não é assim que tratas as crianças das pessoas comuns; por que a exceção com meu filho?" O sábio respondeu: "Falar depois de haver refletido e agir com prudência são virtudes desejáveis que todos deveriam possuir, particularmente os reis, pois suas palavras e atos são exemplos para o povo, enquanto as palavras e atos das pessoas comuns não têm o mesmo alcance".

Se um dervixe comete cem más ações,
Seus amigos só lembrarão de uma.
Se um rei comete uma única má ação,
Será propagada e jamais esquecida.

Assim, era necessário que o preceptor concedesse maior atenção ao comportamento do príncipe que ao dos outros alunos.

Aquele que não foi corrigido na juventude,
Não obterá êxito quando tornar-se adulto.
Curva um bastão verde como quiseres,
Uma vez seco, só o fogo poderá moldá-lo.

O rei ficou impressionado com a lógica do sábio; ofertou-lhe uma veste de honra e elevou-o a um posto superior.

CONTO 4

No Maghreb, conheci um mestre-escola de caráter intratável, de palavras ásperas, irascível, grosseiro e descomedido. Ele era tão apavorante que, à sua visão, as pessoas ficavam transtornadas e suas recitações do Corão causavam grande consternação. Os infelizes alunos, vítimas de sua tirania, não tinham coragem de rir ou falar quando do ele se encontrava na sala, pois punha-se a ralhar e batia sem piedade. Foi tão detestado que os pais o expulsaram sob pancadas.

[206]

"Melhor a severidade do mestre que a indulgência do pai."

Em seu lugar, nomearam um homem amável, paciente, que quase não falava, nunca batia nas crianças, nem as maltratava. Quando perceberam o caráter do novo mestre, o temor dos alunos dissipou-se. Aproveitaram-se de sua boa índole, perderam-lhe o respeito, comportaram-se mal e tornaram-se indisciplinados. Passavam o tempo em brincadeiras e algazarras.

Quando falta pulso ao mestre,
Os alunos comportam-se mal.

Duas semanas depois, passei pela escola e vi que o antigo mestre retomara seu lugar. Deplorei a situação, dizendo: "Por que, outra vez, fizeram do diabo o mestre dos anjos?" O velho homem ouviu-me e disse:

"Um rei enviou seu filho à escola
E deu-lhe uma lousa de prata.
No alto, estava escrito em letras de ouro:
Melhor a severidade do mestre que a indulgência do pai".

CONTO 5

O filho de um homem piedoso herdou a imensa fortuna de seu tio. Tornou-se libertino e extravagante, entregando-se a todos os maus procedimentos e a todos os entorpecentes que conseguiu encontrar. Um dia, eu o adverti, dizendo: "Os rendimentos são água corrente, e o gozo, o moinho; não podes pagar o luxo de tais atividades se não tens rendimentos estáveis.

"Se nenhum dinheiro entra, gasta com parcimônia,
Pois, se não chover nas montanhas durante um ano,
Como diz a canção, o Tigre secará.

LIVRO VII - DOS EFEITOS DA EDUCAÇÃO

"Deixa a razão guiar-te, pois se dissipas tua herança sofrerás provações e remorsos". O jovem, porém, sob influência do vinho e da música, não seguiu meu conselho, e até mesmo admoestou-me, dizendo: "Querer mudar meu modo de vida atual por medo do futuro não é atitude de um homem sábio.

"Deveriam os homens de posses e afortunados
Sofrer privações por temer as privações?
Vai embora! Divirtamo-nos, amigos do prazer!
Não provemos hoje as penas de amanhã!
Hás de compreender o quanto me é impossível
Seguir o conselho dos homens parcimoniosos,
Pois tenho uma reputação a zelar:
Aquele que se tornou exemplo de generosidade
Não pode colocar um cadeado em seu tesouro.
Se tua boa reputação é conhecida por todos,
Não podes fechar-lhes a porta no nariz".

Vi que minhas palavras não exerciam o menor efeito sobre ele, meu hálito quente era inútil sobre seu ferro gelado. Abandonei meus esforços e segui o ditado dos sábios: "Diz o que tens a dizer; se não te escutam, estás livre de culpa".

Mesmo sabendo que não serás ouvido,
Dá tua opinião e teus conselhos.
Em pouco tempo, verás o teimoso com os pés acorrentados,
A torcer as mãos e lamentar:
"Ai de mim, que não ouvi as palavras dos sábios!"

Algum tempo depois, soube que meus temores eram justificados. Encontrei o jovem em estado deplorável, remendando sua roupa de

[209]

GULISTAN / O JARDIM DAS ROSAS, DE SAADI DE SHIRAZ

trapos e comendo migalhas de pão. Considerando que não seria justo pôr sal em suas feridas, abstive-me de repreendê-lo e disse a mim mesmo:

> O pródigo, sob efeito de sua embriaguez,
> Não tinha qualquer apreensão pela miséria futura.
> Na primavera, a árvore espalha suas flores;
> No inverno, nenhuma folha lhe resta.

CONTO 6

Um rei confiou seu filho aos cuidados de um mestre, dizendo: "É como teu próprio filho: educa-o e prepara-o para a vida como fazes com tuas crianças". Durante vários anos, o príncipe estudou intensamente e sem trégua, mas sem muito sucesso, enquanto os filhos do mestre assimilavam saber e eloqüência. O rei reclamou ao mestre e repreendeu-o, afirmando: "Não tens sido leal em tua empresa e agiste com infidelidade." Ao que ele respondeu: "É preciso que vossa majestade saiba que o estudo é o estudo, mas que as disposições e capacidades diferem".

> Mesmo que o ouro e a prata venham das pedras,
> Nem todas as pedras contêm ouro e prata.
> Canopo[99] brilha em toda a terra, e no entanto,
> Seu efeito varia de lugar para lugar.

---

99. Canopo é uma estrela da constelação do Cão Maior, uma das mais brilhantes do céu, depois de Sírio. Sua luminosidade intrínseca é duas mil vezes superior à do Sol. Acreditava-se que sua luz exercia efeito benéfico sobre o couro e tornava-o perfumado.

LIVRO VII - DOS EFEITOS DA EDUCAÇÃO

CONTO 7

Ouvi falar de um mestre sufi que disse a um discípulo: "Meu filho, se os homens pensassem menos no pão de cada dia e mais no Provedor,[100] sem dúvida ocupariam um lugar superior ao dos anjos".

Deus não te esqueceu quando não eras mais que um grão
Enterrado e adormecido.
Deu-te uma alma, a inteligência, uma marca distintiva,
O dom da percepção, a beleza, a palavra, o julgamento,
A razão e o bom senso;
Deu dez dedos às tuas mãos e dois braços a teus ombros.
E no entanto imaginas, homem de pouca ambição,
Que após te haver criado,
Ele irá esquecer de tua subsistência?

CONTO 8

Ouvi um beduíno dizer a seu filho: "Meu filho, no Dia do Julgamento irão perguntar-te: 'Que mérito possuis?', e não: 'Quem é teu pai?'

"Os peregrinos não beijam o véu que recobre a Caaba
Por sua relação com o bicho da seda,
Mas por este véu ter permanecido dias e dias
Em contato estreito com algo de grande valor;
Por isso é tão adorado quanto aquela que recobre.

---

100. O Provedor (*al-Razzaq*) é um dos Nomes ou Atributos de Deus revelados no Corão.

[*211*]

GULISTAN / O JARDIM DAS ROSAS, DE SAADI DE SHIRAZ

CONTO 9

Os sábios dizem que os escorpiões não nascem da maneira normal, mas que devoram as vísceras de sua mãe, abrem-lhe o ventre e a cabeça e dirigem-se ao deserto. Esta teoria é confirmada pelas carcaças encontradas nos ninhos de escorpiões. Um dia, fiz esta observação a um sábio, que me respondeu: "Meu coração é testemunha da verdade dessas palavras, e não pode ser de outro modo, pois se tratam sua mãe desta maneira quando jovens, não é de espantar que sejam feios e detestados quando crescidos".

Um pai, aconselhando seu filho, disse:
"Jovem, guarda no coração este conselho:
Aquele que não é leal à própria família não terá amigos,
Nem seu coração o que deseja".

Fizeram a um escorpião a seguinte pergunta: "Por que não sais de casa no inverno?" Ele respondeu: "Que respeito demonstram por mim no verão para que eu me mostre também no inverno?"

CONTO 10

A mulher de um dervixe estava grávida e perto de parir. O dervixe, que nunca tinha sido pai, fez este voto: "Se Deus me conceder um filho, darei tudo o que possuo aos dervixes, com exceção de meu manto". Foi um filho que nasceu. Transportado de alegria, ele honrou seu voto.

Alguns anos mais tarde, retornando da Síria, passei em frente à sua casa e perguntei por ele. Disseram-me: "Está na prisão. Seu filho bebeu muito vinho, provocou uma briga e fugiu; então, o pai foi encarcerado".

[212]

Livro VII - Dos efeitos da educação

Fiz este comentário: "Ele buscou desesperadamente receber esta aflição de Deus".

Seria melhor que as mulheres grávidas dessem à luz serpentes,
Ó sábio, do que trazerem dentro de si crianças perversas.

CONTO 11

Quando menino, interroguei um sábio a respeito da puberdade. Ele respondeu: "Lemos nos livros que a virilidade começa aos quinze anos, com o despertar do desejo sexual e o aparecimento da barba. Porém, há um sinal infalível, e é quando o desejo de satisfazer a Deus Todo-Poderoso é maior que teu desejo de satisfazer a ti mesmo; quem ainda não tem esta qualidade não alcançou o estado de homem".

Quarenta dias resguardada no ventre,
Uma gota de água torna-se homem.
Porém, se com quarenta anos um homem não possui
Nem compreensão nem educação,
Não deve em verdade ser chamado homem.
Valor e humanidade não bastam para se fazer o homem.
Com habilidade, pode-se desenhar uma figura
E pintá-la nos muros em vermelho e azinhavre.
Se um ser humano não tem graça, nem bondade,
Qual a diferença entre o homem e uma imagem?
Não é ato meritório acumular as riquezas do mundo;
Adquire um único coração, se puderes.

CONTO 12

Certo ano, quando eu viajava a pé para Meca, houve uma briga entre alguns membros de nossa companhia. Envolvi-me e nos bate-

[213]

GULISTAN / O JARDIM DAS ROSAS, DE SAADI DE SHIRAZ

mos sem dó, insultando-nos. Ouvi então um cameleiro dizer a um outro: "É estranho, as peças de madeira ou de marfim atravessam todas as casas do tabuleiro e tornam-se nobres rainhas, e, no entanto, os peregrinos em sua marcha para Meca atravessam as negras noites e brancos dias do deserto e tornam-se piores".

Diz ao peregrino que fere seu companheiro
E toma à força o manto dos homens:
'Não és um peregrino; mas um camelo o é,
Pois come espinhos e carrega seu fardo'.

CONTO 13

Um homem com dor nos olhos foi tratar-se com um veterinário. Este aplicou-lhe um remédio que utilizava habitualmente em cavalos, e o homem ficou cego. O caso foi apresentado à corte e o juiz decidiu que nenhuma compensação seria paga ao paciente. E acrescentou: "Se esse homem não fosse um asno, não teria ido ao veterinário".

A moral da história é que não deves confiar um grave problema a alguém inexperiente, pois deste modo sofrerás aflições e, ainda por cima, passarás por imbecil.

Um homem sábio e lúcido
Não confia assuntos vitais a uma pessoa desqualificada.
Um tecedor de palha é um tecelão,
Mas não lhe compete o ofício de tecer a seda.

CONTO 14

O filho de um homem ilustre morreu. Perguntaram a seu pai: "O que iremos inscrever na tumba?" Ele respondeu: "Os versículos do

[214]

LIVRO VII - DOS EFEITOS DA EDUCAÇÃO

Livro são de dignidade e nobreza por demais elevadas para serem escritos em tais lugares, onde o tempo os apagará, os homens pisarão e os cães sujarão. Se algo deve ser escrito, estes versos bastam:

"Como meu coração se alegraria
Se as plantas brotassem sempre neste jardim.
Bem-vindo, ó amigo. Na primavera, verás
A verde folhagem brotar de minha argila".

CONTO 15

Um sábio encontrou um homem rico de posses deste mundo que amarrara as mãos e os pés de um escravo e surrava-o sem piedade. "Meu filho", disse o velho homem, "o Todo-Poderoso submeteu uma de Suas criaturas à tua autoridade. Sê reconhecido a Deus e não oprimas assim este homem. Não podes prever se ele, mais tarde, estará em melhor posição que tu, e então, sofrerás a vergonha".

Não te deixes levar à ira para com teu servidor;
Não o oprimas e não magoes seu coração.
Tu não o criaste, compraste-o por dez dinares.
Por quanto tempo exercerás teu domínio, teu orgulho, tua ira?
Há um Senhor, maior que tu,
Mestre de Arslâm e de Aghôsh![101]
Não esqueças Aquele que te comanda!

Consta na Tradição que Muhammad declarou: "O maior pesar no Dia do Julgamento será a elevação do escravo justo ao Paraíso e a condenação do senhor ao Inferno".

---

101. Nas versões de Eastwick e Rehatsek, consta serem os nomes de dois escravos.

"Há um Senhor, maior que tu,
Não esqueças Aquele que te comanda!"

LIVRO VII - DOS EFEITOS DA EDUCAÇÃO

Não permitas à cólera livre curso contra teu fiel servo.
Seria uma vergonha no Dia do Julgamento,
Se o escravo fosse liberto e o senhor encarcerado.

CONTO 16

Uma vez, parti de Balkh em companhia de alguns sírios e caminhávamos por uma estrada infestada de assaltantes. Acompanhavanos como guarda um jovem, exímio na lança e um mestre na balestra. Era um guerreiro tão forte que seria preciso dez homens para retesar seu arco, e uma dúzia deles não conseguiria derrubá-lo. No entanto, estava acostumado às boas coisas da vida. Nunca viajara, não tinha experiência de guerra, jamais ouvira o som do tambor de batalha, nem vira o lume das espadas.

Nunca fora capturado pelos inimigos,
E nunca uma chuva de flechas caíra à sua volta.

Caminhando, demolia velhas muralhas apenas com a força de seus braços, desenraizava grandes árvores com as mãos, e dizia:

"Mostra-me um elefante, para que ele veja os ombros e braços de um guerreiro.
Mostra-me um tigre, para que ele veja as mãos e os dedos de um bravo".

Enquanto falava, dois ladrões surgiram detrás de um rochedo e nos ameaçaram de morte. Um segurava um porrete e o outro uma espada. Perguntei ao jovem: "Por que ficas aí parado, agora?

"Junta tua valentia, mostra tua força,
Pois a morte, esta inimiga,
Lança seu chamado da tumba".

[217]

GULISTAN / O JARDIM DAS ROSAS, DE SAADI DE SHIRAZ

O jovem tremia e as armas tombaram de suas mãos.

Não são todos os arqueiros que,
Partindo um fio de cabelo com suas flechas rápidas,
Resistirão ao ataque do inimigo.

Fomos obrigados a abandonar tudo, armas e vestes, para salvar apenas nossas vidas.

Não confies senão num veterano
Para os grandes feitos que exigem coragem;
Ele conduzirá o furioso leão
Na ponta de uma corda, inofensivo,
Enquanto um jovem de aparência heróica
Seria tomado de terror.
A luta é tão familiar ao guerreiro experiente
Quanto as questões da lei a um juiz.

CONTO 17

Vi o filho de um rico e o filho de um pobre em plena discussão diante da tumba do rico. O menino rico dizia: "A pedra da tumba de meu pai é de mármore, gravada em letras coloridas e é enfeitada de tijolos. Com que se parece a tumba de teu pai? Alguns tijolos e um punhado de terra?!" O menino pobre respondeu: "Até teu pai conseguir escapar de debaixo desse peso, o meu já terá atingido o Paraíso!"

Põe um fardo mais leve sobre o asno,
A fim de que ele viaje mais facilmente.
Está dito: "A morte traz repouso ao pobre".
O dervixe nada tem a deixar com pesar atrás de si.

[218]

"A morte traz repouso ao pobre.
O dervixe nada tem a deixar com pesar atrás de si."

GULISTAN / O JARDIM DAS ROSAS, DE SAADI DE SHIRAZ

O pobre que carregou o peso da necessidade
Aproxima-se da porta da morte com uma carga leve.
Aquele que cresceu no conforto, na riqueza e no prazer
Deixa a vida para trás com lamento e dor.
Considera, pois, mais afortunado
O cativo que escapa pela morte
Que o príncipe que sofre a prisão depois de morrer.

CONTO 18

Perguntei a um sábio o sentido deste trecho da Tradição do Profeta: "Teu pior inimigo é tu mesmo". Ele respondeu: "Cada inimigo tratado por ti com bondade torna-se um amigo, exceto teu ego. Mais lhe demonstras indulgência, mais ele se torna teu inimigo".

Um homem pode adquirir uma natureza angelical
Através da frugalidade.
Se comes como uma besta, cairás saciado como ela.
Aquele a quem satisfazes os desejos
Obedecerá às tuas ordens.
O 'eu' carnal, ao contrário,
Multiplica seus desejos à medida que são satisfeitos.

CONTO 19

DEBATE TRAVADO ENTRE SAADI E UM IMPOSTOR, SOBRE AS QUALIDADES DOS RICOS E DOS POBRES.

Vi um homem vestido com o manto do dervixe, mas que não se conduzia como tal, queixar-se do comportamento dos ricos e acusá-los de não serem piedosos ou caridosos:

Livro VII - Dos efeitos da educação

"Os homens caridosos não têm meios de mostrar-se generosos,
Enquanto os ricos não têm desejo de ser caridosos".

Eu, que usufrui a amizade de homens ricos, senti-me ofendido com tais afirmações e declarei: "Amigo, as riquezas das pessoas abastadas são uma renda para os pobres e reclusos. Elas oferecem refúgio aos peregrinos e aliviam de seus fardos aqueles que estão em necessidade. Compartilham de sua mesa com seus servidores e uma parte de sua subsistência alimenta viúvas, órfãos e outras pessoas carentes.

"Os ricos beneficiam-se por suas doações:
Por sua generosidade e hospitalidade para com os fiéis,
Por distribuir esmolas, libertar escravos e fazer sacrifícios.
Quando serás digno da recompensa que lhes cabe
Com tuas parcas preces, murmuradas distraidamente?

"É mais fácil aos ricos serem generosos e adorar sem distração. Sua riqueza é pura e suas vestes são limpas. Sua honra é inviolável e seu coração é leve. O poder da devoção reside na comida pura e a integridade da adoração nas roupas limpas. Qual o poder de um estômago vazio? Que ato generoso sai de uma mão vazia? Que distância pode ser percorrida com as pernas atadas? Que caridade pode vir dos famintos?

"Agitado é o sono daquele que não sabe
De onde virá a subsistência do amanhã.
A formiga reúne durante todo o verão
O alimento do próximo inverno.

"A despreocupação e a pobreza são estranhas uma à outra. O rico espera a prece da noite, enquanto o pobre espera seu jantar. Como é possível conciliar os dois?

[*221*]

GULISTAN / O JARDIM DAS ROSAS, DE SAADI DE SHIRAZ

"O rico concentra seu pensamento em Deus.

O homem desatento tem o coração esquecido.

"Por essas razões, as devoções do rico são melhores, pois são concentradas, ao passo que os pobres, por necessidade e distração, tropeçam durante suas devoções. Os árabes dizem: 'Busco em Deus refúgio contra a pobreza e um vizinho desagradável'. E o Profeta disse: 'Nos dois mundos, a pobreza é um rosto sujo'." — "Porém o Profeta não disse também: 'A pobreza é minha glória'?", meu adversário retorquiu. "Cala-te!", respondi. "O Profeta falava dos que estão satisfeitos com sua sorte e com as vicissitudes da fortuna, e não daqueles que usam exteriormente o manto de retalhos e mendigam a comida.

"Ó tambor de voz forte, mas cheio de vazio!

Como podes viajar sem provisões?

Desvia tua face das artimanhas do mundo.

E se és um homem, não te contentes

Em ter nas mãos um rosário de mil grãos.

"Um dervixe dotado de conhecimento interior pode permitir que sua pobreza o leve ao limiar da negação de Deus. Como se diz: 'A pobreza está muito próxima da negação de Deus'. Sem recursos, é possível vestir aquele que está nu ou libertar o cativo? Qual de nós seria capaz disso? Em que aquele que doa se assemelha àquele que recebe? Deus não declarou no Corão, numa passagem que só pode receber uma interpretação, que 'para eles, há um alimento conhecido',[102] referindo-se àqueles que habitarão o Paraíso? Isso não demonstra

---

102. "Estes terão um sustento determinado de frutos; eles serão honrados em jardins de sonho." (*Corão*, XXXVII, 41-43)

[222]

LIVRO VII - DOS EFEITOS DA EDUCAÇÃO

que aqueles que estão preocupados com os meios de subsistência estão excluídos, e que o reino da paz de espírito está sob a autoridade de uma subsistência determinada de antemão? Os sedentos vêem, em sonhos, o mundo como uma fonte d'água".

Conforme eu falava, o falso dervixe perdeu o controle e lançou-me um mar de insultos e reprovações: "Apresentaste a defesa dos ricos de maneira tão favorável, e pronunciaste absurdos tais em seu louvor, que se tem logo a impressão de que eles são o remédio da pobreza e a chave da abundância. Eles não passam de um punhado de orgulhosos, arrogantes, desprezíveis, insociáveis, ocupados das posses e interesses materiais, atrás de ouro e posição social. Essas pessoas de conversa fútil e ridícula lançam a todos um olhar de desdém; aos que têm o conhecimento, acusam de mendigar; aos pobres, ridicularizam-nos e culpam-nos por sua pobreza. Porque possuem riqueza, consideram-se melhores que os outros. Nem se dignam a notar a presença dos humildes. Esquecem os sábios, que dizem: 'Aquele que é relapso na devoção, mesmo que seja rico exteriormente, é pobre no espírito'.

"Se um homem sem mérito trata um sábio com desdém,
Ainda que seja rico, considera-o como um asno".

"Não insultes os ricos", respondi, "pois eles são a providência dos pobres". – "Estás enganado.," ele retorquiu, "são escravos do dinheiro. O que há de bom no fato de serem nuvens, se não derramam sua chuva sobre ninguém? Ou de serem sóis, se a ninguém beneficiam com sua luz e calor? Ou se, possuindo os meios, não dão um único passo no caminho de Deus, nem um dinar, sem calcular os prós e os contras de seu gesto? Eles juntam dinheiro, guardam-no

[223]

GULISTAN / O JARDIM DAS ROSAS, DE SAADI DE SHIRAZ

com astúcia e gastam-no com pesar. Os sábios dizem: 'O dinheiro do avarento não é enterrado com ele'.

"A riqueza é adquirida
Pelo trabalho e dificuldades.
Surge um outro e de tudo se apodera,
Sem dor nem sofrimento".

Eu disse: "Nenhum saber adquiriste sobre a avareza dos ricos, senão mendigando. Pois para aquele que renunciou à avidez, o generoso e o avaro parecem semelhantes. A pedra de toque reconhece o ouro, e o mendigo só conhece o avarento".

Ele respondeu: "Conheço os ricos: têm guardas em suas portas que recusam a entrada aos dervixes e necessitados, e mesmo aos convidados importantes dizem que seu senhor não está.

"Aqueles que não têm compreensão, nem grandeza de alma,
Nem prudência e discernimento, ordenam ao porteiro:
'Diz que não há ninguém em casa!'"

Eu respondi: "Eles receiam ser constantemente importunados por mendigos. Se as areias do deserto se transformassem em jóias, não chegariam a satisfazer os olhos dos mendigos.

"Como o orvalho não encheria um poço,
Os olhos dos homens ávidos
Não saberiam satisfazer-se
Nem com todas as riquezas do mundo.

"Se vês um homem miserável que provou da amargura, podes ter certeza de que se envolverá em atividades perigosas, sem medo de conseqüências ou punição. Legal ou ilegal, isto não faz para ele a menor diferença.

[224]

Livro VII - Dos efeitos da educação

"Se um punhado de terra cai na cabeça de um cão,
Este ficará contente, pois acreditará que é um osso.
Se dois homens transportam um caixão nos ombros,
Homens vis pensarão que é uma bandeja de comida.

"O rico tem o favor de Deus e é protegido contra aquilo que não está de acordo com a lei. Apresentei argumentos evidentes e provas que espero ver-te aceitar. Já viste um vigarista de mãos atadas, ou alguém jogado na prisão por indigência, ou um véu da castidade rasgado, ou uma mão cortada por outra razão que não a pobreza? Condenam-se homens pelo roubo causado pela necessidade! Também é possível que um homem pobre, incapaz de restringir seus apetites carnais, peque por não conseguir controlar-se. Os apetites, carnal e outros, andam juntos. Um cobiça enquanto o outro dorme.

"Ouvi a história de um homem pobre que foi pego cometendo atos pecaminosos com um outro. A fim de que esse crime fosse conhecido por todos, e acrescentar assim ao castigo o fardo da vergonha, decidiu-se apedrejá-lo. Ele disse: 'Ó muçulmanos, não tenho posses para desposar uma mulher, tampouco paciência ou força para conter minha cupidez. Um rico pode permitir-se a tranqüilidade, pois come bem, abraça sua bem-amada, e a cada dia pode contemplar mulheres tão belas que são capazes de encabular o cipreste ondulante e enrubescer até mesmo a aurora'.

"As pontas dos dedos coloridas de vermelho,
Garras tingidas do sangue dos amantes.

"A beleza do rosto e do corpo consegue distrair o amante e desviá-lo dos atos repreensíveis, da ruína e da depravação:

[225]

GULISTAN / O JARDIM DAS ROSAS, DE SAADI DE SHIRAZ

"Como o coração seduzido pelas huris do Paraíso
Pode outra coisa desejar?
Se te oferecem tâmaras frescas,
Por que vais sacudir a palmeira?

"É o pobre quem cai mais facilmente em pecado, e o esfomeado é quem rouba o pão.

"Se o cão voraz encontra carne, não pergunta:
'É o camelo de um homem bom ou o asno do anticristo?'

"Uma legião inumerável de justos caiu em pecado pela miséria em que se encontrava, e entregou seu bom nome ao vento da infâmia:

"O poder da abstinência não existe para os famintos;
As mãos do pobre perdem o controle das rédeas.

"Se Hatim Tai tivesse vivido na cidade e não no deserto teria sido espoliado pelos mendigos e suas roupas rasgadas em pedaços:

"Não esperes de mim nenhuma esmola,
Pois temo atrair outros como tu.
A morte não é recompensa suficiente
Aos mendigos que não cessam de importunar".

Ele respondeu: "Não, eu lamento por aqueles que não esperam nenhuma recompensa". Repliquei: "Não, é seu ouro que suscita tua inveja". Assim discutimos, até que se esgotaram seus argumentos.

Nunca abaixes teu escudo aos ataques de um loquaz
Que só exprime o que toma emprestado de outros.
Estuda a religião e o conhecimento esotérico (*Ma'rifat*),
Pois o bem-falante colocou um guarda na porta,
Mas não há ninguém na cidadela.

Livro VII - Dos efeitos da educação

Sem ter mais nada a dizer, ele começou a insultar-me e a gritar, atitude característica do ignorante que, na falta de argumentos, torna-se violento. Por minha vez, devolvi-lhe os insultos. Ele rasgou meu manto e eu quebrei-lhe o queixo:

Nós nos atracamos.

As pessoas nos seguiam, rindo;

Parecíamos palhaços em nossa discussão.

Apresentamos nossa desavença ao cádi, a fim de estabelecer a diferença entre o rico e o pobre. O cádi ouviu-nos e, após baixar a cabeça para meditar durante alguns minutos, declarou:

"Tu, que fizeste o elogio do rico e atacaste o pobre: ali onde há uma rosa, há espinhos; com a exaltação do vinho, vem a dor de cabeça; ali onde o tesouro está enterrado, há uma serpente; onde há pérolas nobres, há tubarões; a provação da morte segue os prazeres da vida, e as delícias do Paraíso estão ocultas pela muralha do infortúnio.

"Quando está em busca do Amigo,

Um amigo deve resistir à opressão dos inimigos;

Tesouro e serpente, rosa e espinho,

Tristeza e alegria encontram-se juntos.

"No jardim, podes encontrar ao mesmo tempo o salgueiro e a madeira seca. Assim, também encontramos entre os ricos os que são gratos a Deus e os ingratos, e nas fileiras dos pobres há os que têm paciência e os impacientes.

"Se todo granizo se convertesse em pérolas,

Seriam tão abundantes no mercado quanto as conchas.

"Junto ao Trono de Deus estão os ricos com alma de dervixe e os dervixes de alma elevada. O mais nobre entre os ricos está pleno

GULISTAN / O JARDIM DAS ROSAS, DE SAADI DE SHIRAZ

de piedade pelos pobres, e o melhor dos pobres não conta com a caridade do rico:

"'E para aquele que deposita sua confiança em Allah, Allah é suficiente'".[103]

Depois de assim me ter repreendido, voltou-se para meu adversário e disse: "Tu, que dizes que os ricos mergulham em atividades proibidas! Entre eles, há os que assim se comportam, pois não possuem generosidade ou reconhecimento, e ganham dinheiro para acumulá-lo e não para distribui-lo caridosamente. Se a seca estivesse a ponto de abater-se sobre a terra, ou as águas prestes a submergir o globo, não se preocupariam com os pobres e não temeriam a Deus, mas diriam:

"'Enquanto um outro perece na necessidade, eu sobrevivo.
Que medo das águas pode ter um pato?
Viajantes montados em camelos não se comovem
Com o grito dos que têm os pés atolados na areia.
As pessoas sem mérito, após salvarem seus tapetes, dizem:
O que importa se o mundo inteiro vier a perecer?'

"Entre os ricos, há os mesquinhos, mas há também os que alimentam os pobres e os estimam, e possuem a graça da humildade. Buscam a aprovação e os favores neste mundo, e o perdão no outro. São abençoados nos dois mundos, como os servidores de sua majestade, o justo, o bendito, o vitorioso Muzaffar ad-Dawla Waadin Abu Bakr bin Saad bin Zangi – possa Deus outorgar-lhe longo reinado e vitória aos seus estandartes.

---

103. "Quem em Deus se apoia, n'Ele encontra a sua recompensa. Deus alcança o seu propósito. Deus deu a cada coisa um destino."(*Corão*, LXV, 3.)

[*228*]

Livro VII - Dos efeitos da educação

"Nenhum pai tratou tão bem seu filho
Quanto tua mão generosa zelou pelo teu povo.
Deus quis demonstrar misericórdia ao mundo
E fez-te, por Sua Graça, Rei do Mundo".

Aceitamos o julgamento do tribunal e, esquecendo as injúrias passadas, abraçamo-nos e fizemos as pazes.

Ó dervixe, não lamentes os decretos do destino,
Pois serás desfavorecido se, em tal instante, morreres.
Ó homem de substância!
Quando o coração e a mão são favorecidos, alegra-te!
Doa tudo, e conquista este mundo e também o próximo.

LIVRO VIII

Da conduta da sociedade

CONSELHO I

Os bens são destinados a tornar a vida mais confortável e tranqüila, e não a ser o objetivo principal da existência. Perguntaram a um sábio: "Que diferença há entre o homem afortunado e o desafortunado?" Ele respondeu: "O afortunado é aquele que goza a vida e, assim, junta recompensas para a próxima, enquanto o desafortunado é aquele que morre sem ter usufruído a vida e sem nada ter investido para a próxima".[104]

> Não gastes tuas preces com o homem que nada dá,
> Que só acumula os bens, sem jamais os desfrutar.

CONSELHO 2

Conselho de Moisés a Qarun: "Faz o bem aos outros, como Allah o fez a ti". Mas Qarun não lhe deu ouvidos e sua sorte serviu de exemplo a todos.

---

104. Cf. *Corão* VII, 48.

[*231*]

GULISTAN / O JARDIM DAS ROSAS, DE SAADI DE SHIRAZ

Se um homem, enquanto acumula ouro e prata,
Não acumula recompensas para o outro mundo,
Então terá vendido sua salvação por seu tesouro.
Se queres aproveitar as bênçãos que o mundo proporciona,
Faz o bem aos homens como Deus o fez a ti.

Os árabes dizem: "Dá generosamente e não reproves os que te
pedem ajuda, e tuas doações trarão frutos para ti".

Onde a árvore da bondade cria raízes,
Os galhos mais altos tocam o céu.
Se esperas comer de seu fruto,
Não serres suas raízes com reprovações.
Agradece a Deus por teres sucesso e estares incluído
Entre aqueles que Sua generosidade abençoou.
Não digas em tom crítico: "Sou o servidor do sultão",
Querendo dizer que és útil ao sultão.
Reconhece tua dívida para com ele pelo favor recebido.

CONSELHO 3

Há dois tipos de pessoas que sofrem inutilmente a aflição e o
infortúnio: aquelas que acumulam bens e riqueza e não se servem
deles, e aquelas que adquirem experiência mas não a utilizam.

Se não te serves do conhecimento que adquires,
Isso equivale à ignorância.
Não és um buscador da verdade, nem um homem instruído,
Mas um quadrúpede que carrega um fardo de alfarrábios.
Uma besta sem cérebro não sabe, e não se importa em saber,
Se transporta lenha ou livros.

[232]

LIVRO VIII - DA CONDUTA DA SOCIEDADE

CONSELHO 4

O aprendizado existe para servir às tuas crenças, e não para que desfrutes das coisas do mundo.

> Aquele que vende o que aprendeu
> – sua abstinência e sua devoção –,
> Fez a colheita e simplesmente a queimou.

CONSELHO 5

O homem de saber que não possui virtude alguma é como um cego que transporta uma tocha: guia os outros, mas ele mesmo não tem guia.

> Sem nenhum proveito decorre a vida
> Daquele que apenas acumula ouro.

CONSELHO 6

Os sábios são a insígnia de um reino, e a religião atinge a perfeição graças aos homens virtuosos. Os reis têm mais necessidade dos conselhos dos sábios do que estes da posição e da autoridade.

> Ouve este conselho, ó rei,
> Melhor que os que constam em qualquer livro:
> Não confiras autoridade senão aos sábios,
> Ainda que a autoridade não seja assunto de sábios.

CONSELHO 7

Três coisas não poderiam durar sem outras três: riqueza sem comércio, instrução sem debate e reinos sem linha de conduta.

[*233*]

GULISTAN / O JARDIM DAS ROSAS, DE SAADI DE SHIRAZ

Por vezes, ali onde há conflito ou inflamada discussão,
Podes obter o acordo com bondade, doçura e humanidade.
Porém, onde há ira e má vontade, cem potes de açúcar
Valem menos que uma dose de purgante.

CONSELHO 8

Ser misericordioso com os maus é injusto para com os bons, e perdoar o tirano é punir os oprimidos.

Se estimas e proteges um homem ruim,
Ele logo cobiçará tua fortuna
E traçará um plano para pilhá-la.

CONSELHO 9

Não te fies na amizade dos reis e não te deixes enganar por vozes de crianças, pois estas mudam na puberdade e aquela por uma palavra inoportuna.

Não dês teu coração à amante de mil amores;
Caso contrário, esquece que possuías esse coração.

CONSELHO 10

Não reveles todos os teus segredos a um amigo querido, pois talvez um dia ele se torne teu inimigo. Por outro lado, não firas teu inimigo tanto quanto podes, pois talvez um dia ele se torne um amigo. Nem ao mais caro amigo confies teu maior segredo, pois ele mesmo tem amigos além de ti.

[234]

LIVRO VIII - DA CONDUTA DA SOCIEDADE

Antes o silêncio que confiar o segredo de teu coração
Com a condição de que não seja repetido.
Ó homem doce e gentil! Retém a água na fonte;
Quando o rio está cheio, não podes mais represá-lo.
Não contes secretamente um segredo,
Que não pode ser repetido em público.

CONSELHO 11

Um inimigo fraco que se rende e faz voto de amizade não deseja senão tornar-se um inimigo poderoso com astúcia e falsidade. "Se não há garantia na amizade dos amigos; o que pode, então, advir da bajulação dos inimigos?"

Meus amigos são piores que inimigos:
São inimigos de si mesmos, mostrando-se com outra face.

CONSELHO 12

Considerar que um pequeno inimigo esteja à tua mercê é considerar um pequeno fogo como inofensivo.

Extirpa o fogo hoje, enquanto podes,
Pois à medida em que aumenta, pode consumir o mundo.
Não deixes teu inimigo retesar seu arco
Com a flecha que pode trespassar tua armadura.

CONSELHO 13

Pesa as palavras que dizes a pessoas inimigas entre si, de modo que, se houver reconciliação, não tenhas do que te envergonhar.

[235]

GULISTAN / O JARDIM DAS ROSAS, DE SAADI DE SHIRAZ

Uma disputa entre dois homens é como um fogo,
O desafortunado árbitro é o atiçador.
Se os dois se reconciliam,
O intermediário é coberto de opróbrio.
É tolice acender o fogo entre duas pessoas,
Pois tu mesmo és consumido nele.
Fala baixo a teus amigos
Para que o vilão adversário não ouça.
Fala com precaução perto de um muro,
Pois pode haver ouvidos do outro lado.

CONSELHO 14

Aquele que faz a paz com seus inimigos dá motivo de aflição a seus amigos.

Lava tuas mãos, ó sábio,
Do amigo que se relaciona com teus inimigos.

CONSELHO 15

Quando estás em dúvida sobre uma decisão a tomar, escolhe a solução que causará menos tristeza.

Não trates duramente aqueles que são pacíficos;
Não combatas aquele que bate à porta da paz.

CONSELHO 16

A vida não deve ser posta em perigo enquanto ainda há ouro na mina. Como dizem os árabes: "A espada é o último recurso".

[236]

LIVRO VIII - DA CONDUTA DA SOCIEDADE

Quando todo caminho foi explorado sem resultado,
Então é lícito tomar a espada.

CONSELHO 17

Não tenhas nenhuma piedade do adversário subjugado, pois ele não terá piedade de ti, se a situação reverter-se.

Quando vês teu inimigo impotente,
Não te ufanes nem te vanglories.
Em todo osso há tutano,
Em toda camisa, um homem.

CONSELHO 18

Aquele que mata um homem perverso protege a humanidade de um flagelo, e o homem perverso também é protegido das conseqüências de males futuros.

O perdão é louvável,
Mas não cuides das chagas de um tirano.
É tolo quem se apieda de uma serpente,
Pois isto é injusto para com os filhos de Adão.

CONSELHO 19

É um erro ouvir o conselho de um inimigo. Contudo, podes ouvir e fazer o contrário do que ele diz, e assim sobreviver.

Previne-te para não fazer o que teu inimigo sugere,
Ou lamentarás o teu ato.
Se ele indica um caminho reto como uma flecha,
Dobra uma curva à esquerda e segue.

[237]

GULISTAN / O JARDIM DAS ROSAS, DE SAADI DE SHIRAZ

CONSELHO 20

Uma ira incontrolável gera o medo; uma gentileza inoportuna destrói o temor. Não sejas duro a ponto de as pessoas terem demasiado medo de ti, e não sejas gentil a ponto de que o percam de todo.

Concilia a dureza e a doçura;
Sê como aquele que faz sangrias,
A um só tempo cirurgião e enfermeiro.
Um sábio não mostra dureza nem doçura
Que possam diminuir sua dignidade.
Ele não está além do alcance dos homens,
Nem aquém da condição do mais humilde.

Disse um menino pastor a seu pai,
"Ó sábio, dá-me um conselho de pai".
"Sê dócil", respondeu o pai
"Mas não a ponto que o lobo se possa atrever".

CONSELHO 21

Há dois tipos de inimigos do Estado e da religião: um rei sem indulgência e um devoto sem sabedoria.

Que jamais ocupe o trono
O monarca insubmisso aos mandamentos de Deus.

CONSELHO 22

Não é justo que um rei deixe sua inimizade ultrapassar os limites, a ponto de seus amigos perderem nele a confiança; pois o fogo da ira dirige-se primeiro àquele que o engendrou, e mesmo depois a chama da destruição pode não atingir o inimigo.

LIVRO VIII - DA CONDUTA DA SOCIEDADE

Os filhos de Adão, criados da argila,
Não se deveriam tornar orgulhosos e voluntariosos.
Tu, que possuis tal impetuosidade e obstinação,
Não posso crer que sejas feito da argila, mas do fogo.
Em Bilqan,[105] procurei o conselho de um adepto sufi.
Eu disse: "Ensina-me, lava-me de minha ignorância".
Ele respondeu: "Suporta, sê paciente como o pó,
Ou então ponhas tudo o que aprendeste sob o pó".

CONSELHO 23

Um homem de maus hábitos cai na armadilha de um inimigo que o segue a todos os lugares aonde vai.

Se um homem de maus hábitos
Tentasse escalar o céu para evitar a má sorte,
Ainda assim seria presa de seus maus hábitos.

CONSELHO 24

Quando observas uma falta de unidade nas fileiras do inimigo, deves manter-te unido. Se eles se unem, então sê ainda mais atento em manter-te solidamente unido.

Vai e senta-te tranqüilamente com teus amigos
Quando vês a discórdia entre os inimigos.
Mas se vês que estão unidos contra ti,
Então retesa teu arco e prepara tua defesa.

---

105. Cidade da Armênia Maior, próxima aos portos do Mar Cáspio.

GULISTAN / O JARDIM DAS ROSAS, DE SAADI DE SHIRAZ

CONSELHO 25

Serve-te da mão do inimigo para matar a serpente, o que apresenta dupla vantagem: se o inimigo vence, não chorarás a morte da serpente, e se é a serpente que vence, te livrarás do inimigo.

No campo de batalha, não subestimes o inimigo fraco.
Quando ele vir seu próprio fim chegando,
Poderá arrancar o cérebro de um tigre com as mãos nuas.

CONSELHO 26

Se souberes de uma notícia que pode causar tristeza, guarda silêncio, deixa a outro a incumbência de anunciá-la.

Ó rouxinol, traz os alegres eflúvios da primavera;
Deixa o mocho trazer as más notícias.

CONSELHO 27

Não relates ao rei uma história contra alguém, salvo quando tua confidência possa ter sua aprovação; doutro modo, arriscas-te à tua própria destruição.

Fala somente quando souberes,
A fim de que tuas palavras te sejam proveitosas.

CONSELHO 28

Aquele que dá conselhos a um cabeça-dura é quem precisa ser aconselhado.

[240]

LIVRO VIII - DA CONDUTA DA SOCIEDADE

CONSELHO 29

Não te deixes cair na armadilha do adversário, nem na do bajulador: um arma a cilada da fraude, o outro encoraja vilmente a cupidez. O idiota acolhe com alegria a lisonja, como uma carcaça que incha e parece gorda quando nela se injeta ar.

> Cuidado, não ouças o bajulador
> Que procura tirar alguma vantagem de ti.
> Um dia, se vieres a desgostá-lo,
> Espalhará duzentas mentiras a teu respeito.

CONSELHO 30

Se ninguém lhe aponta as faltas, o orador não chegará à perfeição.

> Não te deixes iludir quanto à qualidade de tua arte oratória
> Pelos elogios dos tolos ou por tua própria pretensão.

CONSELHO 31

Todo homem considera que sua própria sabedoria é maior, e que seus filhos são os mais belos.

> Um judeu e um muçulmano discutiam,
> O que me provocou muitas risadas.
> O muçulmano disse, zombando:
> "Se minhas palavras são falsas, que eu morra judeu".
> O judeu disse: "Pela Torah, juro que,
> Se estou mentindo, sou um muçulmano como tu".
> Se toda sabedoria fosse apagada da superfície da terra,
> Ninguém diria a propósito de si mesmo: "Sou um louco!"

[241]

GULISTAN / O JARDIM DAS ROSAS, DE SAADI DE SHIRAZ

CONSELHO 32

Dez homens podem comer juntos à mesa, enquanto dois cães disputarão uma carcaça. O homem ávido tem fome, mesmo que possua o mundo inteiro, enquanto o homem saciado contenta-se com um pão. Os sábios dizem: "O homem pobre mas satisfeito vale mais que um homem rico e cobiçoso".

Um estômago reduzido satisfaz-se com um pão,
Mas nem todas as possessões da terra
Saciam o olhar cobiçoso.

Meu pai, quando o tempo que lhe fora designado
Atingiu seu fim,
Deu-me este único conselho e morreu:
"O desejo é feito de fogo, evita-o;
Não sopres sobre o fogo do inferno;
Se não queres queimar em tal fogo,
Espalha, pela paciência, água sobre o fogo do desejo".

CONSELHO 33

Aquele que não faz o bem quando tem oportunidade terá de suportar as dificuldades quando estiver em privação.

Ninguém é mais maldito que um tirano,
Pois na adversidade ele não tem amigos.

CONSELHO 34

O que é feito rapidamente não perdura.

Ouvi dizer que no Oriente leva-se quarenta anos
Para fazer um pote de caulim.

LIVRO VIII - DA CONDUTA DA SOCIEDADE

Os poteiros de Bagdá fazem cem por dia:
Podes julgar seu valor pelo preço.

O pinto sai da casca e logo procura
A comida que lhe é destinada;
O filho do homem não tem noção
De raciocínio ou discernimento.
Aquele que chega, age e se alimenta rapidamente
Não chega, ao fim das contas, a absolutamente nada.
O outro, pela sabedoria e estabilidade,
Sobrepuja todas as coisas.
O vidro, que se vê em qualquer lugar, não tem valor,
Enquanto o rubi, por ser difícil de encontrar,
É muito apreciado.

CONSELHO 35

A paciência conduz ao sucesso, a precipitação gera quedas.

Vi com meus próprios olhos, no deserto,
Um homem ultrapassar lentamente outro que se apressava.
O cavalo veloz tropeça,
E o camelo segue pesadamente sem parar.

CONSELHO 36

O silêncio é a melhor coisa para o homem ignorante. Se ele soubesse disso, não seria mais ignorante.

Quando teus conhecimentos são imperfeitos,
É melhor guardar silêncio.

[243]

GULISTAN / O JARDIM DAS ROSAS, DE SAADI DE SHIRAZ

A língua é fonte de vergonha para um homem,
Assim como a ausência de polpa numa noz.
Um idiota tentava adestrar um asno, sem nenhum progresso.
Um sábio lhe disse: "Ó tolo, por que tanto zelo?
Teme o ridículo de quem te insulta!
Uma vez que nunca aprenderás a falar aos animais,
Aprende, então, por tua vez, o seu silêncio".
Aquele que não reflete antes responderá sem sabedoria.
Abre a boca somente para o bom senso e a sagacidade,
Ou então, como os animais, não digas palavra.

CONSELHO 37

Aquele que discute com alguém mais sábio para dar a impressão de sabedoria dá, ao contrário, demonstração de sua própria tolice.

Quando um homem melhor do que tu fala,
Ainda que saibas que ele se engana, não protestes.

CONSELHO 38

Aquele que se liga a homens perversos não aprenderá nem verá o bem.

Se um anjo convivesse com demônios,
Aprenderia a crueldade, a perfídia e a astúcia.
Com os homens maus só aprendemos o mal.
O lobo não ganha a vida costurando peles de carneiro.

CONSELHO 39

Não evidencies os defeitos dos homens, pois os desonrarás, e atrairás a desconfiança sobre ti.

LIVRO VIII - DA CONDUTA DA SOCIEDADE

CONSELHO 40

Aquele que estuda a sabedoria mas não a põe em prática é
como um homem que lavra o campo mas não o semeia.

CONSELHO 41

A adoração não vem de um corpo sem coração; do mesmo
modo, uma casca vazia não pode germinar.

CONSELHO 42

Um bom orador não é necessariamente um bom regateador.
Muitas vezes, a bela silhueta
Sob o véu revela-se uma avó.

CONSELHO 43

Se todas as noites fossem a Noite do Poder,[106] então a Noite do
Poder não teria poder.
Se todas as pedras fossem rubis de Badakhshan,
O valor de umas e outras seria o mesmo.

---

106. Trata-se da "Noite do Poder" (*Laila t'ul Qadr*), na qual foi revelado o Corão; a
noite em que o Profeta Muhammad recebeu do anjo Gabriel a primeira revelação do Corão, na caverna de Hira, na 26ª noite do mês de Ramadan, mês destinado ao jejum, à meditação e à penitência. "Sabei que o revelamos [o Corão] na
Noite do Poder (*Qadr*)" (*Corão*, XCVII, 1). A palavra *qadr*, traduzida no mais
das vezes por "poder", também significa "destino", "honra" ou "dignidade".

[245]

GULISTAN / O JARDIM DAS ROSAS, DE SAADI DE SHIRAZ

CONSELHO 44

Nem toda pessoa graciosa possui uma bela alma; o caráter está no interior, e não sob a pele.

As qualidades de um homem
Podem ser avaliadas em um dia,
Bem como seu grau de conhecimento.
Mas não estejas tão certo quanto a seu ser interior;
Não te deixes enganar:
O caráter de sua alma só se revela ao longo dos anos.

CONSELHO 45

Aquele que desafia os fortes derrama o próprio sangue.

Tu te vês poderoso.
Lembra: os vesgos também se vêem dobrado.
Logo perecerás se continuas a brincar
De bater cabeça com carneiros.

CONSELHO 46

Enfrentar um leão com as mãos nuas, ou uma espada com o punho, não são atos de um homem sábio.

Não lutes nem meças tua força
Com homens de fúria e poder.
Guarda as mãos atrás das costas
Na presença de um guerreiro.

[246]

LIVRO VIII - DA CONDUTA DA SOCIEDADE

CONSELHO 47

Um homem fraco que tenta mostrar valentia contra um homem forte é aliado de seu inimigo e conspira para sua própria destruição.

Como um homem dócil saberia lutar contra guerreiros?
É idiota quem trava combate contra um punho encouraçado.

CONSELHO 48

Aquele que não quer seguir conselhos deve esperar reprovações.

Se os conselhos não entram em teus ouvidos,
Suporta as possíveis provações em silêncio.

CONSELHO 49

Aqueles a quem falta mérito não suportam a visão daqueles que o possuem. De fato, o homem vil, na falta do mérito necessário sequer para reconhecer o mérito, recorre, por malícia, aos insultos, assim como um vira-lata rosna para um cão de raça.

Os invejosos que não suportam o mérito
Caluniam-te em segredo, jamais em tua presença.

CONSELHO 50

Não fosse a tirania do estômago, nenhum pássaro cairia em armadilhas; com efeito, o caçador nem mesmo as faria.

O estômago é o laço nas mãos e a corrente nos pés.
O escravo do estômago não tem tempo de adorar a Deus.

GULISTAN / O JARDIM DAS ROSAS, DE SAADI DE SHIRAZ

CONSELHO 51

Os homens sábios comem em longos intervalos; os iniciados, até saciar o apetite; os devotos, o necessário para manter a vida; os jovens, enquanto restar alimento; os velhos, até que transpirem; mas os *Qalândaris*,[107] até que percam o fôlego e nada mais reste sobre as mesas.

O escravo do estômago não dorme durante duas noites;
Na primeira, por indigestão;
Na segunda, pela aflição da culpa.

CONSELHO 52

Buscar conselho com mulheres traz a ruína, e mostrar-se generoso para com os perversos é um pecado.

A piedade com o lobo de dentes afiados
É crueldade para com a ovelha.

---

107. Ou Calândares: ordem de dervixes andarilhos, fundada por Qalândar Yussuf al Andalusi, cujo método de meditação é a perpétua peregrinação; Saadi, porém, ao longo do livro, refere-se a eles pejorativamente, isto é, enquanto mendigos de caráter duvidoso, alheios à busca espiritual que caracteriza as ordens dervixes. Já o glossário da edição da Tractus Books faz menção a *Os Sufis*, de Idries Shah, para quem a ordem Qalândar é identificada aos *Malamati* ou *Malamatyya*, cujo fundamento é provocar situações negativas e dolorosas e assumir toda a culpa e vergonha decorrentes. Muitos sufis referem-se a essa ordem como "o caminho da culpa". Seu comportamento é uma caricatura de toda sorte de vícios, como a mesquinhez, a gula e a violência dos homens ordinários e suas usuais mentiras, para assim refletir com total clareza as características a serem superadas no caminho espiritual.

LIVRO VIII - DA CONDUTA DA SOCIEDADE

CONSELHO 53

Aquele que respeita seu inimigo e não o mata é seu próprio inimigo. Não é homem sensato quem, tendo uma pedra na mão, hesita ao ver uma serpente sobre a pedra.

Alguns não concordam e dizem: "Deve-se retardar a morte de um cativo porque a mudança é possível, e pode ser que o perdoes. Se, em contrapartida, ele for executado irrefletidamente, pode-se perder um benefício que não voltará".

> Não é difícil tirar a vida de um homem,
> Mas é impossível ressuscitar os mortos.
> A razão exige paciência por parte do arqueiro;
> Pois a flecha, uma vez lançada, não retorna.

CONSELHO 54

Um homem sábio que discute com um tolo não deve esperar ser respeitado por ele. Se o tolo vence o sábio por sua loquacidade, não há motivo de espanto, pois às vezes uma pedra pode quebrar uma jóia.

> Não surpreende a ternura do canto do rouxinol
> Quando está preso na gaiola com um corvo.
> Assim, um homem virtuoso preso entre bandidos
> Não se enfurece, nem se aflige.
> Se uma pedra vulgar quebra uma taça de ouro,
> O valor da pedra não aumenta, e o ouro não perde o seu.

CONSELHO 55

Se um sábio permanece silencioso em meio a uma multidão de patifes, não te surpreendas, pois o som da lira é abafado pelo tambor, e o perfume do âmbar-gris é eclipsado pelo odor da podridão.

[249]

GULISTAN / O JARDIM DAS ROSAS, DE SAADI DE SHIRAZ

A voz estridente do tolo eleva-se com orgulho
Porque abafou descaradamente a do sábio.
Não sabes que os cantos do Hejazi são abafados
Pelo grosseiro rufar dos tambores de guerra?

CONSELHO 56

Uma pedra preciosa que cai na lama não perde sua beleza e valor, enquanto a poeira, mesmo subindo ao céu, permanece insignificante. O talento não desenvolvido é uma vergonha, e instruir homens indignos é trabalho vão. As cinzas têm origem nobre, pois o fogo é a jóia do sétimo céu, no entanto, como a poeira, nenhum dos dois têm valor em si mesmos. O valor do açúcar não reside no fato de advir da cana, mas no seu próprio caráter.

Canaã[108] possuía um caráter medíocre;
O fato de descender de um profeta não aumentou seu valor.
Dá provas de mérito, se o possuis, e não de descendência;
A rosa vem do espinho e Abraão, de Azar.[109]

CONSELHO 57

É o próprio almíscar que dá origem ao perfume, e não as palavras do vendedor de perfumes. O sábio é semelhante à caixinha do

---

108. Canaã é filho de Cam e neto de Noé. Na versão de Rehatsek, nos dois primeiros versos, encontra-se: "A terra de Canaã era estéril / O fato de ter gerado um profeta não alterou seu valor".

109. Azar é o nome do pai de Abraão, famoso fabricante de ídolos.

[250]

LIVRO VIII - DA CONDUTA DA SOCIEDADE

herborista: discreto, silencioso e pleno de mérito; o tolo é como o tambor do bufão: barulho e nada mais.

Um sábio entre idiotas, dizem os homens da verdade,
É como uma bela mulher entre cegos
Ou o Corão entre infiéis e incrédulos.

CONSELHO 58

As amizades que levaram toda uma vida a amadurecer não deveriam ser rompidas em um instante.

Tem cuidado no momento em que seguras uma pedra,
Para não quebrares um rubi que levou anos para formar-se.

CONSELHO 59

A razão é uma prisioneira sob a influência dos apetites sensuais, como o é o homem fraco nas mãos de uma mulher intrigante.

Não consideres pacífico e invejável
O lar onde a mulher tem a voz mais forte.

CONSELHO 60

O julgamento sem poder é fraude e ilusão, e o poder sem julgamento é ignorância e loucura.

Discernimento é necessário:
Prudência e julgamento vêm primeiro,
Em seguida, autoridade e poder.
Poder e riqueza para um tolo
São instrumentos de sua própria destruição.

[*251*]

GULISTAN / O JARDIM DAS ROSAS, DE SAADI DE SHIRAZ

CONSELHO 61

O homem do mundo que desfruta a vida e dá esmolas vale mais que o sábio que jejua e economiza. Aquele que renuncia ao desejo com o propósito de obter a admiração popular torna-se vítima de um desejo ilícito.

> O devoto que busca a solidão, mas não por amor a Deus,
> Que visão terá este pobre infeliz ante um espelho turvo?

CONSELHO 62

Pouco a pouco, forma-se um destino; gota a gota, nasce um rio. Aqueles que não têm a força juntam pedras até que, no momento oportuno, possam vingar-se de seus inimigos.

> Gota a gota, forma-se o rio;
> Rio unido a rio, forma-se o mar.
> Pouco a pouco, faz-se o muito;
> Grão a grão, enche-se o celeiro.

CONSELHO 63

O sábio não deve tratar com indulgência as faltas de um tolo, pois haveria prejuízo para ambos: o temor e o respeito que o sábio inspira diminuiriam e a ignorância do tolo aumentaria.

> Se falas com bondade e gentileza a um tolo,
> Seu orgulho e arrogância aumentarão.

CONSELHO 64

O pecado cometido por um homem qualquer é desagradável, mas é menos grave e culpável que o cometido por homens instruídos,

LIVRO VIII - DA CONDUTA DA SOCIEDADE

pois o conhecimento é uma arma no combate ao diabo. Quando um homem armado é feito prisioneiro, a vergonha é maior.

Um tolo ignorante, aflito e desesperado,
Vale mais que um sábio ímpio.
O primeiro perde o caminho por cegueira;
O segundo cai no poço com os dois olhos abertos.

CONSELHO 65

A vida reside no intervalo de uma respiração: é uma existência entre duas não-existências. Não vendas tua fé para ter o mundo; os que o fazem são estúpidos. José foi vendido por seus irmãos, e o que conseguiram com isso?

"Não vos recomendei, filhos de Adão,
Que não adorásseis Satã, pois é vosso inimigo?"
Às palavras do inimigo, rompeste teu pacto com o Amigo.
Vê bem com quem rompeste e a quem estás unido.

CONSELHO 66

O diabo não saberia prevalecer sobre os homens piedosos, nem um rei sobre os pobres.

Não ajudes aquele que não reza,
Ainda que sua boca esteja aberta pela fome.
Aquele que não observa o que Deus ordenou,
Não terá compromisso com nada além de si.
Hoje tomará a porção de dois homens;
Amanhã, quando outros estiverem famintos,
Ele estará saciado, e isso lhe bastará.

[253]

CONSELHO 67

O pão que não foi comido pelo homem durante sua vida, não poderá ser lembrado depois da morte. A pobre viúva conhece o sabor da uva, e não o dono do vinhedo. José, o justo, quando a fome se abateu sobre o Egito, jamais comeu à saciedade, para não esquecer os famintos.

> Quem vive no conforto e na fartura
> Ignora o sofrimento dos que têm fome.
> Apenas aquele que experimenta a pobreza
> Conhece a luz que ilumina os miseráveis.
> Vê, ó nobre cavaleiro, em teu fogoso corcel,
> O pobre asno na lama sob a chuva e o fardo de espinhos.
> Não peças fogo à porta de teu vizinho pobre,
> O que sobe de sua chaminé é o suspiro de seu coração.

CONSELHO 68

Em período de fome, não perguntes ao pobre camponês como ele vai, a menos que estejas disposto, se te for pedido, a cuidar de suas feridas e dar-lhe sustento.

> Se vês um burro atolado na lama com seu fardo,
> Apieda-te dele do fundo de seu coração.
> Mas não perguntes à besta: "Como te atolaste?"
> Antes, age como homem e retira-a da lama.

CONSELHO 69

Há duas coisas impossíveis: realizar mais do que teu destino previu e morrer antes da tua hora.

Livro VIII - Da conduta da sociedade

Nem milhares de lágrimas, nem sinais de desconsolo
Nem agradecimento te farão ter outro destino.
O imortal entrega todos os tesouros ao vento,
E não se inquieta por se ter apagado a lâmpada da viúva.

CONSELHO 70

Tu, que procuras pão, fica calmamente sentado, pois o pão virá a ti. Tu, que procuras escapar à morte, não corras, pois à morte não podes escapar.

Busques ou não o alimento,
Deus, em Sua graça, enviar-te-á.
Mesmo se estivesses entre as mandíbulas da morte,
Elas não se fechariam antes do dia marcado.

CONSELHO 71

A mão não pode alcançar uma coisa que não lhe está destinada. Mas quando despontar o dia marcado, onde quer que tal coisa possa estar, então a mão a apanhará.

Não sabes que Alexandre foi à região das trevas,[110]
E que, mesmo após grandes esforços,
Não pôde beber do Elixir da Vida?

---

110. Alexandre, o Grande (*Iskandar*, para os árabes), rei da Macedônia. Citado no *Corão*, considerado um sábio do Islam, no final de sua vida teria ficado cego.

[255]

GULISTAN / O JARDIM DAS ROSAS, DE SAADI DE SHIRAZ

CONSELHO 72

Um pescador não pegará peixes no Tigre a menos que isto lhe
esteja destinado, e um peixe não morrerá em terra firme enquanto
seus dias não houverem terminado.

> O miserável, ávido de comida,
> Percorre o mundo a procurá-la
> Com o destino a persegui-lo.

CONSELHO 73

O rico libertino é um punhado de terra falsamente adornado. O
homem piedoso e pobre, como Moisés sob seu manto esfarrapado, é
beleza recoberta de poeira, enquanto o rico assemelha-se à barba do
faraó, enfeitada de pedras preciosas. A riqueza dos pobres os eleva,
enquanto a opulência dos perversos os rebaixa.

> Aquele que possui riquezas e posição social
> E não pensa em cultivar boas ações e bons pensamentos
> Não encontrará riqueza nem posição a aguardá-lo
> No mundo que está por vir.

CONSELHO 74

O homem invejoso cobiça os dons de Deus e é o inimigo de
Seus piedosos servidores.

> Vi um homem com cérebro de passarinho
> Caluniando um outro bem-sucedido.
> Eu lhe disse: "Se és desventurado,
> Por que a culpa seria dos homens afortunados?"

[256]

LIVRO VIII - DA CONDUTA DA SOCIEDADE

Cuidado para não desejar má sorte ao invejoso,
Pois a inveja é já suficiente aflição.
Que vantagem teriam teus desejos? Seu inimigo já o alcança!

CONSELHO 75

Um discípulo sem intenção é como um amante sem ouro; um homem piedoso sem conhecimento espiritual é como um pássaro sem asas; um homem instruído que não tira proveito de sua sabedoria é como uma casa sem porta.

O Corão aí está, como lição e para beneficiar os costumes e a conduta, e não como um exercício de aperfeiçoamento de leitura e recitação. Um devoto que busca superar sua ignorância é um andarilho avançando lentamente, enquanto um homem instruído, mas negligente e esquecido de seus deveres, é um cavaleiro adormecido. Um pecador que suplica perdão vale mais que um adorador assíduo e repleto de orgulho.

Um soldado bondoso e tranqüilo
Vale mais que um opressor instruído.

CONSELHO 76

Indagaram a um sábio: "A que se assemelha um sábio que prega, mas não dá o exemplo?" Ele respondeu: "A uma abelha sem mel".

Diz à vespa traiçoeira:
"Já que não dás mel,
Ao menos guarda o ferrão!"

[257]

GULISTAN / O JARDIM DAS ROSAS, DE SAADI DE SHIRAZ

CONSELHO 77

O homem que não se comporta como tal é como uma mulher, e o homem que é presa da cobiça é como um ladrão.

> Cuidado, tu que te dizes piedoso em nome da humanidade;
> Enquanto tua reputação estiver suja,
> Não estendas a mão ao mundo,
> Pois não poderás esconder para sempre tua maldade.

CONSELHO 78

Há dois tipos de gente que jamais esquece seu pesar e não cessa de sentir remorsos: um mercador cujo navio naufragou e o herdeiro que se associa aos *Qalândaris*.

> Para os *Qalândaris*, teu sangue pouco seria
> Se não os comprasses com esmolas.
> Ou bem decides fugir de sua companhia,
> Ou renuncias a tudo o que possuis.
> Não faças amizade com um guarda de elefantes,
> Se não podes construir um estábulo que os acolha.

CONSELHO 79

Ainda que a veste de honra oferecida pelo sultão seja digna e preciosa, nosso próprio manto de farrapos remendados deve ser preferível. Ainda que sejam apetitosas as iguarias servidas à mesa do rico, o pão comprado com o suor de nosso rosto é ainda mais delicioso.

> Vinagre e verduras comprados com os próprios sofrimentos
> São melhores que o cordeiro e o pão alheios.

[258]

LIVRO VIII - DA CONDUTA DA SOCIEDADE

CONSELHO 80

É contrário ao pensamento piedoso e nocivo ao valor dos conselhos dos sábios tomar medicamentos duvidando de sua eficácia, ou viajar em um caminho desconhecido sem guia ou caravana. Perguntaram ao Imam Al Ghazzali:[111] "Como chegaste a tanto conhecimento?" Ele respondeu: "Nunca tive vergonha de perguntar sobre o que não conhecia".

> O doente pode esperar a cura,
> Se um bom médico está a tratá-lo.
> Interroga sobre o que ignoras,
> Pois a angústia de tua questão
> Te incitará a aumentar teu conhecimento.

CONSELHO 81

Não te apresses em descobrir o que não conheces, pois o que buscas com o tempo será evidente. Apressando-te, comprometerás teu respeito pela autoridade.

> Quando Luqman viu o aço converter-se em cera,
> Como que por milagre, nas mãos de David,
> Não lhe perguntou: "O que fazes?"
> Sabia que, sem perguntar, aquilo tornar-se-ia evidente.

---

111. Abu Hamid Muhammad Al Ghazzali, o célebre filósofo, médico e mestre espiritual do séc. XI.

[259]

GULISTAN / O JARDIM DAS ROSAS, DE SAADI DE SHIRAZ

CONSELHO 82

Uma das exigências das relações sociais é que te deves conformar ao caráter de teu anfitrião, ou então deixar sua casa.

Conta tua história em função do caráter de teu interlocutor,
Se sabes que ele te estima.
O homem sábio, em companhia de Majnun,
Não fala senão da beleza de Layla.

CONSELHO 83

Quem quer que freqüente os homens perversos será considerado perverso, mesmo que essa convivência não tenha efeito sobre ele. Da mesma forma, se um homem fosse rezar em uma ruína, haveria alguém para dizer que ele foi beber escondido.

Tu te classificas tolamente como tolo,
Quando escolhes a companhia de ignorantes.
Busquei os conselhos dos sábios, que me disseram:
"Não te associes aos tolos, pois, ainda que sejas um deles,
Em tal companhia, te tornarás um asno".

CONSELHO 84

O camelo é conhecido por sua docilidade. Se uma criança pega sua rédea e o conduz por cem léguas, ele a seguirá; mas se houver uma ameaça de perigo no caminho, ele se recusará a avançar. Como diz o ditado: "Gentileza na hora da severidade de nada vale". Um inimigo torna-se ainda mais perigoso quando se lhe demonstra gentileza.

Sê como a poeira sob o pé daquele que é bondoso contigo,
Mas atira poeira em seus olhos se ele agir com hostilidade.

[260]

LIVRO VIII - DA CONDUTA DA SOCIEDADE

Não fales com bondade ou amabilidade às pessoas rudes,
Pois não se pode limpar crostas de ferrugem com lima fina.

CONSELHO 85

Aquele que interrompe as palavras de outro para enaltecer os próprios talentos nada fará senão mostrar a extensão de sua ignorância.

O sábio não responde senão em resposta a uma questão.
Ainda que um falastrão tenha razão,
Isso não impedirá as pessoas de considerar absurdo o que diz.

CONSELHO 86

Quando tive um furúnculo em lugar bastante constrangedor, meu superior perguntou-me: "Como está o teu furúnculo?", e não "Onde é o teu furúnculo?" Apreciei que ele houvesse escolhido deliberadamente tais palavras, pois não é necessário fazer menção de coisas que possam causar constrangimento. Os sábios dizem: "Aquele que pesa suas palavras não terá de sofrer com a resposta".

Enquanto não tens certeza do que convém falar,
Não deves abrir a boca.
Mais vale dizer a verdade e ser preso,
Que dizer uma mentira e ser libertado.

CONSELHO 87

Mentir assemelha-se a um golpe lacerante: a ferida sara, mas a cicatriz permanece. Quando foi provado que os irmãos de José haviam mentido, seu pai perdeu a confiança em suas palavras. Ele disse:

[261]

GULISTAN / O JARDIM DAS ROSAS, DE SAADI DE SHIRAZ

"Vossa alma considerou vossa mentira insignificante, mas a paciência antes do ato vos teria mostrado o lado nefasto".[112]

> Os homens piedosos não farão alarde de uma mentira
> Proferida por alguém que costuma dizer a verdade.
> Se um infame mentiroso fala, considerarão que mente,
> Ainda que diga a verdade.
> A uma pessoa para quem a veracidade é um hábito,
> Será perdoado um desvio;
> Mas da pessoa conhecida por sua falsidade,
> Nem as verdades obterão crédito.

CONSELHO 88

É fato comumente aceito que a mais nobre das criações de Deus é o homem, e a mais inferior, o cão. Entretanto, os sábios concordam em dizer que um cão agradecido vale mais que um homem ingrato.

> Um cão jamais esquecerá uma guloseima,
> Mesmo que receba em seguida cem pedras atiradas por ti.
> Uma vida inteira de dedicação a um homem vil, porém,
> Não o impedirá de bater-se contigo por uma ninharia.

CONSELHO 89

Nada esperes de meritório da parte de um egoísta. De um homem sem mérito, não faças um chefe.

---

112. Cf. *Corão*, XII, 8-18, Jacó dirige-se a seus filhos, quando estes apresentaram a túnica de José manchada com sangue falso: "O quê! Vossa consciência sugeriu-vos uma coisa destas! Oh, santa paciência! A Deus peço ajuda perante o que descreveis!"

[262]

LIVRO VIII - DA CONDUTA DA SOCIEDADE

Não sintas piedade pelo boi glutão,

Pois o mais desprezível é o guloso.

Se vais engordar como um boi,

Submete-te à opressão qual besta de carga.

CONSELHO 90

Está escrito na Bíblia: "Ó filho de Adão, se Eu te dou riqueza, tu Me negligenciarás para buscar o prazer; se te faço pobre, ficarás insatisfeito e infeliz. Como conhecerás a doçura de louvar-Me e quando te apressarás em adorar-Me?

"Rico e livre de preocupações, és orgulhoso e negligencias-Me.

Pobre, és cansado e desesperado.

Se na bonança e no pesar és assim,

Quando te ocuparás de Deus em vez de ti mesmo?"[113]

CONSELHO 91

A vontade do Todo-Poderoso pode tanto derrubar um rei quanto salvar um homem, mesmo se este estiver no ventre de um peixe.

Felizes são os dias daquele que se consagra ao Teu louvor,

Ainda que, como Jonas, esteja no ventre de um peixe.

---

113. Trata-se, provavelmente de um texto apócrifo. A edição de Eastwick, porém, reporta-se a uma passagem de Provérbios, XXX, 7-9: "Eu te peço, ó Deus, que me dês duas coisas antes de eu morrer: não me deixes mentir e não me deixes ficar nem rico, nem pobre. Dá-me somente o alimento que preciso para viver. Porque, se eu tiver mais do que o necessário, poderei dizer que não preciso de ti. E, se eu ficar pobre, poderei roubar e assim envergonharei o teu nome, ó meu Deus".

GULISTAN / O JARDIM DAS ROSAS, DE SAADI DE SHIRAZ

CONSELHO 92

Se Ele saca a espada de sua ira, nem santos ou profetas podem interceder. Se Ele contempla com bondade, o bom e o mau obtêm Sua misericórdia.

Se Ele estiver irado no Dia do Julgamento,
Como os profetas poderão interceder?
Diz: "Mostra Tua face de misericórdia,
Para que os pecadores possam esperar o perdão".

CONSELHO 93

Aquele que não segue o caminho do bem neste mundo, suportará os tormentos no próximo. O Todo-Poderoso ordenou: "E é certo que lhes faremos experimentar o castigo mais próximo, antes do castigo maior".[114]

Os conselhos são a linguagem dos grandes;
Depois, vêm as correntes.
Se eles te dão conselhos e não os segues,
Eles te acorrentarão.

CONSELHO 94

Os afortunados ouvem os conselhos e exortações daqueles que lhes precederam para que sua própria vida sirva de exemplo àqueles que virão. Os ladrões continuam roubando, até que suas mãos sejam cortadas.

---

114. *Corão*, XXXII, 21: "Far-lhes-emos saborear o tormento inferior e o mundano, antes do tormento maior, o de além-túmulo. Talvez eles voltem à sua fé."

LIVRO VIII - DA CONDUTA DA SOCIEDADE

Um pássaro não se aproximará do grão espalhado
Quando vê um outro preso na armadilha.
Que o infortúnio dos outros te sirva de advertência,
Para que o teu não venha a servir a outros.

CONSELHO 95

O que aquele que cresceu surdo pode fazer para ouvir? O que mais pode fazer aquele que nasceu afortunado, senão seguir sua boa fortuna?

Para o sufi, a noite mais negra brilha como claro dia.
Esta felicidade não se obtém pela força do braço;
Ela não existe se Deus não a concede.
A quem suplicarei, senão a Ti? Não há outro árbitro!
Não há mão mais poderosa que a Tua.
Aquele que Tu guias não se desviará,
E aquele que Tu perdes, jamais poderá ser guiado.

CONSELHO 96

Melhor um mendigo cujo fim é feliz do que um rei que acaba mal.

Provar a alegria após a tristeza
É melhor que sofrer a adversidade após a alegria.

CONSELHO 97

A terra é abençoada pela chuva do céu, e responde com a poeira: "Todo vaso transpira aquilo que contém".

Se meu caráter te parece desprovido de graça,
Não estragues nem jogues fora teu bom humor.

[265]

CONSELHO 98

O Todo-Poderoso tudo vê e, contudo, perdoa nossos pecados, ao passo que um vizinho nada vê, mas grita e recrimina.

Que Deus me conceda refúgio!
Se os homens conhecessem o desconhecido,
Ninguém estaria a salvo da interferência dos outros.

CONSELHO 99

O ouro vem à tona quando se cava a mina, mas no caso do avarento ele só vem quando se cava sua alma.

O avaro não usufrui de seu dinheiro, mas o esconde,
E diz: "Mais vale prevenir que desfrutar".
Amanhã, verá o desejo de seus inimigos atendidos,
E morrerá, deixando seu tesouro para trás.

CONSELHO 100

Aquele que não é misericordioso com os fracos será vítima da tirania dos poderosos.

Não é dado a todo braço forte torcer o punho do fraco.
Se afliges um único coração,
Cairás sob o jugo tirânico dos fortes.

CONSELHO 101

O homem sábio não se envolve em conflitos. Ali onde encontra a paz, ele permanece. No caso anterior [no centésimo conselho], a segurança está no exterior; aqui [neste conselho], a doçura está no interior.

LIVRO VIII - DA CONDUTA DA SOCIEDADE

CONSELHO 102

O jogador de dados precisa de três seis, mas obtém três uns.

Mil vezes estar no prado que no campo de batalha,
Mas o corcel de batalha não tem as rédeas em suas mãos.

CONSELHO 103

Um dervixe rezava, dizendo: "Senhor, sê misericordioso para com os maus, pois já Te mostraste misericordioso com os bons, criando-os bons".

CONSELHO 104

Dizem que a primeira pessoa a usar sinais de distinção em sua vestimenta e um anel no dedo foi Jamshid,[115] rei da Pérsia. Perguntaram-lhe: "Por que colocaste esses ornamentos no braço esquerdo, se a excelência pertence ao direito?" Ele respondeu: "O braço direito tem o ornamento mais perfeito no fato de ser o braço direito".

Feridun ordenou aos seus pintores chineses
Que escrevessem nos muros de sua corte essas palavras:
"Considera os maus, ó sábio!
Pois os bons são abençoados e honrados".

CONSELHO 105

Perguntaram a um sábio: "Por que as pessoas usam suas insígnias no braço esquerdo, se a superioridade pertence ao braço direi-

---

115. Quarto rei da primeira dinastia Pishdadyan, a primeira a reinar na Pérsia. Fundador da cidade de Istakhar, também chamada Persépolis, foi destronado por Zahak, que, por sua vez, foi deposto por Feridun.

[267]

to?" Ele respondeu: "Não ouvistes dizer que aqueles a quem pertence a graça estão sempre desamparados?"

Aquele que criou o homem, a aflição e a fortuna,
Concede ora a excelência, ora Sua graça.

CONSELHO 106

O homem que não teme por seus dias e não espera possuir ouro pode repreender os reis.

Para o crente, pouco importa
Se fazes chover ouro sobre ele ou se a cabeça lhe cortas.
Ele nada teme, nem deposita esperança em homem algum.
Esta é a base eficiente do monoteísmo.

CONSELHO 107

O rei existe para expulsar os opressores; o guarda, para proteger os cidadãos dos assassinos; o juiz, para condenar os ladrões; porém, duas pessoas que apresentam queixa uma contra a outra jamais serão satisfeitas pela decisão de um juiz.

Quando deves dar a alguém o que lhe cabe,
Procede com gentileza e alegria,
Não com palavras duras e má vontade.
Se um homem não paga de bom grado seus impostos,
Estes lhe serão tomados à força e aumentados
Por conta das despesas do oficial de justiça.

CONSELHO 108

Os dentes dos homens gastam-se pelo desprezo; os do cádi são gastos pela doçura.

LIVRO VIII - DA CONDUTA DA SOCIEDADE

Um juiz se deixará subornar com cinco pepinos,
Depois aprovará tua pretensão a cem campos de melão.

CONSELHO 109

Que pode fazer uma velha meretriz senão arrepender-se de sua devassidão, e um policial corrupto demitido de suas funções, de seus hábitos opressores?

Um jovem cheio de vida
Deve abster-se do desejo carnal
Para não lamentar o instrumento de sua vida
Quando envelhecer.
O jovem consagrado a Deus
Que renuncia ao mundo
É um valente soldado da causa de Deus.
O velho que abandona o mundo
Nada tem a lamentar.

CONSELHO 110

Perguntaram a um sábio: "Deus criou várias espécies diferentes de árvores e as fez carregarem-se de frutos e multiplicarem-se. Entretanto, nenhuma delas é chamada 'livre', salvo o cipreste. Qual a razão?" Ele respondeu: "Toda árvore floresce, dá frutos e seca segundo as exigências das estações, salvo o cipreste, que está sempre verde e fresco: tal é a condição daquilo que é livre".

Não ates teu coração a valores transitórios.
Por muito tempo depois dos califas,

O Tigre continuará a correr em Bagdá.
Se podes, sê generoso como a tâmara;
Se não podes, então sê como o cipreste: livre.

CONSELHO III

Duas pessoas morreram lamentando-se em vão: uma por haver possuído sem desfrutar, e outra por ter adquirido conhecimento sem o praticar.

Não há quem não se esforce em evidenciar
Os defeitos de um avarento instruído.
Mas se um homem generoso peca duzentas vezes,
Sua generosidade ocultará todos os seus pecados.

Conclusão

O *Gulistan* está terminado, com a ajuda de Deus, e sem ter sido copiado das obras de meus predecessores, como infelizmente é o costume.

A maioria dos dizeres de Saadi provocam o riso e são agradáveis. Por esta razão, pessoas que não enxergam mais longe que a ponta de seus narizes zombam, dizendo: "Não é hábito dos sábios torturar seu espírito sem resultado, nem queimar velas inutilmente". No entanto, o devoto de espírito não obscurecido, a quem dedico minhas palavras, reconhecerá o fio dos ensinamentos e o remédio amargo dos conselhos misturado ao néctar do humor, de modo a não cansar o espírito do homem e não privá-lo de seus benefícios. Graças sejam dadas a Deus, Senhor do Universo.

> Aconselhei, como era meu voto,
> Investindo nisto muito tempo.
> Se meus conselhos não tocam ouvidos sensíveis,
> O mensageiro trouxe a mensagem!
> Ó leitor, implora a misericórdia de Deus
> Para o autor e para quem o lê.
> Busca o bem para ti mesmo e o perdão para o escritor.

GLOSSÁRIO

ATABEG (ou Atabaq): termo turco que significa "pai do príncipe"; era o título dado aos preceptores dos príncipes entre os Seljúcidas; com o tempo o título passou a designar o primeiro ministro, até tornar-se o nome de uma dinastia que reinou na Pérsia entre 1148 e 1264 d. C. Abu Bakr bin Saad bin Zangi é o sexto atabeg desta dinastia, a quem Saadi dedicou seu *Gulistan*. Reinou trinta e cinco anos, até falecer em 1259 d. C.

CAABA: literalmente 'cubo'. Nome da pedra preta cúbica que se encontra no centro da mesquita de Meca e que é objeto de veneração dos muçulmanos. Segundo as tradições mais antigas, relatadas no *Khitab-ed-Aghani* e no *Sirer-er-Resoul*, de Ibn Hishan, está localizada no mesmo lugar onde se erguia a *Beith-Allah* ('Casa de Deus'), construída por Set (filho de Adão) e destruída pelo Dilúvio. A pedra estava originalmente no céu, e em torno dela os anjos faziam o *tawaf* (procissão); quando foi trazida pelo arcanjo Gabriel para Abraão, para ser colocada no recinto da nova mesquita, a *Hajaru'l-Aswad* ('pedra preta que veio do céu') era branca, mas tornou-se negra por causa dos pecados dos homens. Os califas abássidas tencionavam adorná-la e construir em volta dela um edifício esplêndido, mas os mais célebres doutores impediram-no, argumentando que era inútil embelezar um monumento que legiões de arcanjos haviam adorado no céu.

CÁDI: o juiz entre os muçulmanos.

GUEBRO: Assim eram chamados os zoroastristas sob domínio islâmico; eram adeptos da tradição fundada por Zoroastro, ou Zaratustra (séc. VII a. C.), reformador do masdeísmo, do qual conservou a concepção dualística do Universo. Derrotados pelos árabes muçulmanos no séc. VII d. C., passaram a ser chamados de "adoradores do fogo".

HADITH: significa propriamente 'tradição'; o termo designa as sentenças do Profeta Muhammed transmitidas à parte do *Corão* por uma cadeia de intermediários conhecidos. Há dois tipos de *hadith*: o *hadith qudsi*, 'sentença sagrada', revelação direta na qual Deus fala na primeira pes-

[272]

GLOSSÁRIO

soa pela boca do Profeta, e o *hadith nabawi*, 'sentença profética', que designa uma revelação indireta na qual o Profeta fala por si mesmo.

HUMA: também conhecido como Grifo, é um animal fantástico que possui corpo de leão, cabeça e asas de águia. Pássaro auspicioso, acreditava-se que aquele sobre o qual recaísse sua sombra tornar-se-ia rei. Tanto o leão como a águia são emblemas de realeza, sendo comum sua representação nos brasões das casas reais.

MOHTASIB: título que designa o oficial encarregado da manutenção de disciplina moral da lei religiosa.

QALÂNDAR ou Calândar: ordem de dervixes andarilhos, fundada por Qalândar Yussuf al Andalusi, cujo método de meditação é a perpétua peregrinação; Saadi, porém, ao longo do livro, parece referir-se a eles pejorativamente, isto é, enquanto mendigos de caráter duvidoso, alheios à busca espiritual que caracteriza as ordens dervixes. Outra informação talvez possa elucidar essa aparente contradição e dar-nos idéia da diversidade e complexidade das escolas sufis: o glossário da edição da Tractus Books faz menção a *Os Sufis*, de Idries Shah, para quem os *Qalândaris* são identificados aos *Malamati*, ou *Malamatyya*, ordem dervixe cujo fundamento é provocar situações negativas e dolorosas, para então assumir toda a culpa e vergonha decorrentes de seus atos. Muitos sufis referem-se a essa ordem como "o caminho da culpa". Seu comportamento é uma caricatura de toda sorte de vícios, como a mesquinhez, a gula e a violência dos homens ordinários e suas usuais mentiras, no intuito de refletir com total clareza as características a serem superadas no caminho espiritual.

QIBLA: A direção de Meca, para a qual o muçulmano deve voltar-se durante a oração, onde quer que esteja ao rezar.

SIMORG: Pássaro mítico da cultura persa, celebrizado em várias obras literárias, em especial em *A Linguagem dos Pássaros*, de Attar; semelhante ao Grifo (*Huma*) e à Fênix, símbolos de nobre realeza, acredita-se que a pessoa sobre quem sua sombra recai é destinada a ocupar um trono.

TRADIÇÃO: ver *Hadith*

YAHUDI, ou yehudi: significa tanto em árabe como em hebraico 'judeu'. Alguns dervixes empregam este termo simbolicamente para designar todo aquele que pertence a uma comunidade ligada por um laço sagrado e que violou ou aplicou mal seus princípios.

[273]

ÍNDICE BIOGRÁFICO

ABDUL QADIR JILANI p. 86
Mestre sufi, fundador da Ordem Qadiri; teria sido o mestre que iniciou Saadi na doutrina sufi. Morreu em Bagdá no ano de 1166 d. C.

ABU HURAIRAH p. 110, 143
O nome árabe significa literalmente "pai do pequeno gato"; um dos discípulos e companheiros do Profeta, cujo afeto por um gato angariou-lhe esse apelido, dado pelo próprio Muhammad.

AMR BIN LAIS p. 64
Segundo sultão da dinastia safárida, que reinou em Fars entre 878 e 901 d.C. (267 d. H.).

ANWAR I SUHAIL p. 17, 76
Ou simplesmente Anwari; poeta panegirista persa citado por Saadi como o modelo de sua época; falecido em 1200 d.C.

ARDSHIR BABAKAN p. 131
Fundador da dinastia sassânida; reinou de 226 a 240 d.c.; contemporâneo do Imperador Comodus, foi conhecido na Europa como Ataxerxes I, o Longímano.

AYAZ p. 167
Ayaz era o escravo favorito do sultão Mahmud, que reinou em Ghazna (antiga cidade do atual Afeganistão). A história, recorrente na literatura persa, do servo que, por sua beleza e fidelidade, conquista o amor e os favores do rei, é uma alegoria utilizada para ilustrar a relação do homem de fé com Deus.

BAHRAM p. 109, 128
Bahram V, também chamado Bahram Gur; rei sassânida que governou a Pérsia de 430 a 438 d. C.

FERIDUN p. 32, 42
Sétimo rei da primeira dinastia da Pérsia pré-islâmica que derrotou o tirano usurpador Zahak e aprisionou-o nas entranhas da montanha Damavend; cf. *Shahnamah*, "O Livro dos Reis", célebre narrativa histórica épica persa, de Firdawsi.

[274]

Índice Biográfico

GALENO p. 161
Trata-se do eminente médico grego (Pérgamo c.131 - Roma c.201). Suas importantes descobertas em anatomia e seus numerosos tratados fizeram com que seu nome passasse a designar qualquer médico. No Islam, é considerado também um filósofo.

GHAZZALI p. 259
Abu Hamid Muhammad Al Ghazzali, o célebre filósofo, médico e mestre espiritual do séc. XI.

HAFZA e ZANAIB p. 93
Nomes de duas das esposas do Profeta Muhammad.

HARUN AL RASHID p. 78, 80
Quinto califa de Bagdá da dinastia abássida, protetor do sufismo.

HASSAN MAIMANDI p. 162, 163, 167
Khawajah Ahmed bin Hassan, chamado Maimandi, da cidade de Maimand, onde nasceu; era vizir do sultão Mahmud de Ghazna (998 a 1030 d. C.). Tinha muitos inimigos na corte, em especial Altantush, general do exército de Mahmud, que constantemente tramava contra ele, sem jamais ser bem-sucedido graças a sua proverbial habilidade e prudência com as palavras. Dizem que foi apresentado ao sultão pelo próprio Firdawsi, o autor do *Shahnamah*.

HATIM TAI p. 128, 134, 137, 143, 226
Abu Adi Hatim bin Abdu'llah bin Sadul Tai: personagem árabe pré-islâmico, cavaleiro e poeta, que viveu no final do século VI e princípio do VII d.C., famoso por sua hospitalidade e generosidade. Viveu antes de Muhammad, e teve um filho chamado Adi, que morreu com 120 anos, em 68 d. H., e que teria sido um dos Companheiros do Profeta.

HURMUZ p. 45
Hurmuz Tajdar era conhecido por fazer justiça prontamente, sem a intervenção de ninguém; era chamado de "o vestidor de coroa" por ostentá-la para demonstrar seu poder real. Filho de Naushirwan, tinha por tutor Buzurgmihr, que aparece no conto 32 do Livro I.

JAMSHID p. 267
Quarto rei da primeira dinastia Pishdadyan, a primeira a reinar na Pérsia. Fundador da cidade de Istakhar, também chamada Persépolis, foi destronado por Zahak, que, por sua vez, foi deposto por Feridun.

JAUZI p. 100
Preceptor de Saadi, filho de um eminente sábio e poeta; sua morte data de 597 d. H.

Índice Biográfico

JOSÉ p. 29, 83, 93, 167, 253, 254, 261
José, (em árabe,Yussuf): José do Egito, o personagem bíblico, filho de Jacó; foi atirado dentro de um poço e vendido por seus irmãos. Todo o capítulo XII do Corão, é a ele dedicado. Na poesia persa, é sempre citado como exemplo de beleza física e espiritual.

KAI KHOSROE p. 69
Nome de um dos reis sassânidas celebrados no *Shahnamah*, fundador de uma cidade homônima, próxima de Nishapur.

KHWAREZM p. 180, 181
O shah de Khwarezm é citado no Prefácio; sob seu reinado, Saadi escreveu o *Gulistan*.

LAYLA e MAJNUN p. 184, 185, 192, 260
Em árabe, *al majnun* significa literalmente 'homem possuído por um gênio', até popularizar-se apenas como 'louco'. O amor de Majnun por Layla é um tema recorrente na literatura mística persa, celebrizado especialmente por Jami e Nizami.

LUQMAN p. 100, 103, 129, 259
Filósofo e fabulista sobre cuja identidade se especula. O capítulo 31 do *Corão* leva seu nome. Para alguns, seria um primo de Jó, ou ainda sobrinho-neto de Abraão. Outros tomam-no por um escravo etíope, liberto por seu mestre em reconhecimento a sua fidelidade. Seria, ainda, aquele conhecido pelos gregos como Esopo, e teria vivido nos tempos de Davi, sendo contemporâneo a Jonas. Outra possibilidade é a de ser Luqman de Sarkhas, um dos 'loucos sábios' companheiros de Abu Said Abu'l Kheir, sheikh de Mahnah.

NAUSHIRWAN p. 34, 45, 60, 75, 80
Rei sassânida que governou a Pérsia pré-islâmica, à época do nascimento do Profeta Muhammad (570 d.C.). Foi também conhecido como Cosroes I, originalmente um nome próprio que, como 'César' e 'Shah', passou a ser usado como título para designar reis e imperadores.

QARUN p. 60, 231
Qarun (em hebraico, *Korah*), o Coré bíblico: primo e cunhado de Moisés, a quem este ensinou alquimia. Adquiriu, assim, grande riqueza. Chamado a pagar tributo, recusou-se e forjou falsas evidências contra o legislador; como punição, foi engolido pela terra. Ver "Livro dos Números", capítulo XVI, da *Bíblia*, de onde a história de Qarun parece ter sido transmitida ao Islam.

[276]

ÍNDICE BIOGRÁFICO

RUSTAM p. 39

Rustam, ou Rastam, era filho de Zal; ambos são celebrados como heróis de grande força e valentia no *Shahnamah*, de Firdawsi.

SABUKTAGIN p. 32, 162, 167

Mahmud Sabuktagin governou de 977 a 1010 d.C.; durante seu reinado, conquistou um vasto território, incluindo grande parte do Hindustão até a cidade de Delhi, na Índia.

SAKHRA p. 81

Nome do demônio ou *jinn* que conseguiu roubar o anel de Salomão, conforme narrado n'*As Mil e uma noites*.

UGLAMISH p. 41

Filho de Gengis Khan, governou o Turquestão em 1256 d. C. (656 d. H.).

YAHYA p. 46

Nome islâmico pelo qual é conhecido o João Batista bíblico, primo de Jesus. Sua santidade é reconhecida também pelos muçulmanos; seus restos jazem na Mesquita Ummiyah, em Damasco.

HAJJAJ BIN YUSSUF p. 47

Hajjaj bin Yussuf foi governador do Iraque, sob o califa Abdul Malik, no ano 65 d. H.

ZAHAK p. 42

Rei árabe que usurpou o trono persa, sendo mais tarde derrotado por Feridun, que o aprisionou na montanha Damavend.

ZAMAKHSHARI p. 181

Alauddin Muhammed Zamakhshari, um dos primeiros gramáticos da língua árabe.

ZANGI p. 13, 26, 228

Abu Bakr bin Saad bin Zangi, patrono de Saadi, shah de Khwarezm. O jovem Saadi teria tomado seu nome literário do príncipe, embora alguns o julguem derivado do árabe *saad*, que significa "propício".

ZULNUN MISRI p. 74

Há dois personagens de nome Zulnun: um é o profeta bíblico Jonas, outro, que parece ser o aludido aqui, é Abu Fazl Suban bin Ibrahim. Conta-se que foi acusado injustamente de ter roubado uma pérola de grande valor que pertencia ao sultão; invocando a ajuda de Deus para provar sua inocência, a pérola foi achada no ventre de um peixe. Celebrado como santo entre os sufis, morreu no Egito em 245 d. H.

[277]

BIBLIOGRAFIA

EDIÇÕES COTEJADAS DO *GULISTAN* DE SAADI

El Jardín de las Rosas. Madri: Editorial Sufi, 1994.

El Jardín de las Rosas (Gulistan). Versão espanhola de Alejandro Calleja e Alberto Enrique Ferreyra, a partir de tradução de Omar Ali-Shah. Beunos Aires: Dervish International, 1982.

O Jardim das Rosas. Trad. Aurélio Buarque de Hollanda. Rio de Janeiro: José Olympio, 1952.

The Rose Garden. Trad. Edward B. Eastwick. Londres: Octagon Press, 1979 [a partir da edição de 1852].

The Rose Garden. Trad. Edward Rehatsek. Victoria/Austrália: New Humanity Books, 1990. (Masterpieces of Sufi Literature Series).

The Rose Garden (Gulistan). Trad. e introd. Omar Ali-Shah. Reno/EUA: Tractus Book, 1997.

OUTRAS OBRAS CONSULTADAS

ALCORÃO. 2.v. Introd. e notas Dr. Suleiman Valy Mamede. Lisboa: Europa-América, 1978.

ALI-SHAH, Sirdar Ikbal. *Princípios Gerais do Sufismo*. 2.ed. São Paulo: Attar Editorial, 1999.

ALI-SHAH, Omar. *O Caminho do Buscador*. Rio de Janeiro: Dervish, 1990.

ATTAR, Farid ud-Din. *A Linguagem dos Pássaros*. 3.ed. São Paulo: Attar Editorial, 1996.

EL CORÁN. Edición preparada por Julio Cortes. Madri: Ed. Nacional, 1980.

KHAYAAM, Omar. *Rubaiyyat*. Trad. Omar Ali-shah e Robert Graves. Versão espanhola de Alejandro Calleja. Buenos Aires: Dervish International, 1982.

NAWAWI, Imán. *El Jardín de los Justos: la tradición oral del Islam, los hadices, recompilada en el siglo XIII*. Girnona: Tikal, [s/d].

SHAH, Idries. *The Sufis*. Nevoa York: Anchor, 1971.

[278]

Ilustrações: *An Albun from Gulistan of Sa'di, Moral Pointed and Tales Adorned*, ed. bilingüe. trad. S. Fouladfar, Marvassti Cultural Foundation and Farhang-Sara Publications, Teerã, 1997.

Este livro foi composto
em tipos Garamond e Garamond 3
e impresso em pólen rustic 85 gr.
pela gráfica Palas Athena em
março de 2004